Antoine de Saint-Exupéry

Terre des hommes

Gallimard

Henri Guillaumet mon camarade
je te dédie ce livre.

La terre nous en apprend plus long sur nous que tous les livres. Parce qu'elle nous résiste. L'homme se découvre quand il se mesure avec l'obstacle. Mais, pour l'atteindre, il lui faut un outil. Il lui faut un rabot, ou une charrue. Le paysan, dans son labour, arrache peu à peu quelques secrets à la nature, et la vérité qu'il dégage est universelle. De même l'avion, l'outil des lignes aériennes, mêle l'homme à tous les vieux problèmes.

J'ai toujours, devant les yeux, l'image de ma première nuit de vol en Argentine, une nuit sombre où scintillaient seules, comme des étoiles, les rares lumières éparses dans la plaine.

Chacune signalait, dans cet océan de ténèbres, le miracle d'une conscience. Dans ce foyer, on lisait, on réfléchissait, on poursuivait des confidences. Dans cet autre, peut-être, on cherchait à sonder l'espace, on s'usait en calculs sur la nébuleuse d'Andromède. Là on aimait. De loin en loin luisaient ces feux dans la campagne qui réclamaient leur nourriture. Jusqu'aux plus discrets, celui du poète, de l'instituteur, du charpentier. Mais parmi ces étoiles vivantes, combien de fenêtres fermées, combien d'étoiles éteintes, combien d'hommes endormis...

Il faut bien tenter de se rejoindre. Il faut bien essayer de communiquer avec quelques-uns de ces feux qui brûlent de loin en loin dans la campagne.

I

LA LIGNE

C'était en 1926. Je venais d'entrer comme jeune pilote de ligne à la Société Latécoère qui assura, avant l'Aéropostale, puis Air France, la liaison Toulouse-Dakar. Là j'apprenais le métier. A mon tour, comme les camarades, je subissais le noviciat que les jeunes y subissaient avant d'avoir l'honneur de piloter la poste. Essais d'avions, déplacements entre Toulouse et Perpignan, tristes leçons de météo dans le fond d'un hangar glacial. Nous vivions dans la crainte des montagnes d'Espagne, que nous ne connaissions pas encore, et dans le respect des anciens.

Ces anciens, nous les retrouvions au restaurant, bourrus, un peu distants, nous accordant de très haut leurs conseils. Et quand l'un d'eux, qui rentrait d'Alicante ou de Casablanca, nous rejoignait en retard, le cuir trempé de pluie, et que l'un de nous, timidement, l'interrogeait sur son voyage, ses réponses brèves, les jours de tempête, nous construisaient un monde fabuleux, plein de pièges, de trappes, de falaises brusquement surgies, et de remous qui eussent déraciné des cèdres. Des dragons noirs défendaient l'entrée des vallées, des gerbes d'éclairs couronnaient les crêtes. Ces anciens entretenaient avec science notre respect. Mais de temps à autre, respectable pour l'éternité, l'un d'eux ne rentrait pas.

Je me souviens ainsi d'un retour de Bury, qui se tua depuis dans les Corbières. Ce vieux pilote venait de s'asseoir au milieu de nous, et mangeait lourdement sans rien dire, les épaules encore écrasées par l'effort. C'était au soir de l'un de ces mauvais jours où, d'un bout à l'autre de la ligne, le ciel est pourri, où toutes les montagnes semblent au pilote rouler dans la crasse comme ces canons aux amarres rompues qui labouraient le pont des voiliers d'autrefois. Je regardai Bury, j'avalai ma salive et me hasardai à lui demander enfin si son vol avait été dur. Bury n'entendait pas, le front plissé, penché sur son assiette. A bord des avions découverts, par mauvais temps, on s'inclinait hors du pare-brise, pour mieux voir, et les gifles de vent sifflaient longtemps dans les oreilles. Enfin Bury releva la tête, parut m'entendre, se souvenir, et partit brusquement dans un rire clair. Et ce rire m'émerveilla, car Bury riait peu, ce rire bref qui illuminait sa fatigue. Il ne donna point d'autre explication sur sa victoire, pencha la tête, et reprit sa mastication dans le silence. Mais dans la grisaille du restaurant, parmi les petits fonctionnaires qui réparent ici les humbles fatigues du jour, ce camarade aux lourdes épaules me parut d'une étrange noblesse ; il laissait, sous sa rude écorce, percer l'ange qui avait vaincu le dragon.

Vint enfin le soir où je fus appelé à mon tour dans le bureau du directeur. Il me dit simplement :

— Vous partirez demain.

Je restais là, debout, attendant qu'il me congédiât. Mais, après un silence, il ajouta :

— Vous connaissez bien les consignes ?

Les moteurs, à cette époque-là, n'offraient point la sécurité qu'offrent les moteurs d'aujourd'hui. Souvent, ils nous lâchaient d'un coup, sans prévenir, dans un grand tintamarre de vaisselle brisée. Et l'on rendait la main vers la croûte rocheuse de l'Espagne qui n'offrait guère de refuges. « Ici, quand le moteur se casse, disions-nous, l'avion, hélas! ne tarde guère à en faire autant. » Mais un avion, cela se remplace. L'important était avant tout de ne pas aborder le roc en aveugle. Aussi nous interdisait-on, sous peine des sanctions les plus graves, le survol des mers de nuages au-dessus des zones montagneuses. Le pilote en panne, s'enfonçant dans l'étoupe blanche, eût tamponné les sommets sans les voir.

C'est pourquoi, ce soir-là, une voix lente insistait une dernière fois sur la consigne :

— C'est très joli de naviguer à la boussole, en Espagne, au-dessus des mers de nuages, c'est très élégant, mais...

Et, plus lentement encore :

— ... mais souvenez-vous : au-dessous des mers de nuages... c'est l'éternité.

Voici que brusquement, ce monde calme, si uni, si simple, que l'on découvre quand on émerge des nuages, prenait pour moi une valeur inconnue. Cette douceur devenait un piège.

J'imaginais cet immense piège blanc étalé, là, sous mes pieds. Au-dessous ne régnaient, comme on eût pu le croire, ni l'agitation des hommes, ni le tumulte, ni le vivant charroi des villes, mais un silence plus absolu encore, une paix plus définitive. Cette glu blanche devenait pour moi la frontière entre le réel et l'irréel, entre le connu et l'inconnaissable. Et je devinais déjà qu'un spectacle n'a point de sens, sinon à travers une culture, une civilisation, un métier. Les montagnards connaissaient aussi les mers de nuages. Ils n'y découvraient cependant pas ce rideau fabuleux.

Quand je sortis de ce bureau, j'éprouvai un orgueil puéril. J'allais être à mon tour, dès l'aube, responsable d'une charge de passagers, responsable du courrier d'Afrique. Mais j'éprouvais aussi une grande humilité. Je me sentais mal préparé. L'Espagne était pauvre en refuges ; je craignais, en face de la panne menaçante, de ne pas savoir où chercher l'accueil d'un champ de secours. Je m'étais penché, sans y découvrir les enseignements dont j'avais besoin, sur l'aridité des cartes ; aussi, le cœur plein de ce mélange de timidité et d'orgueil, je m'en fus passer cette veillée d'armes chez mon camarade Guillaumet. Guillaumet m'avait précédé sur les routes. Guillaumet connaissait les trucs qui livrent les clefs de l'Espagne. Il me fallait être initié par Guillaumet.

Quand j'entrai chez lui, il sourit :

— Je sais la nouvelle. Tu es content ?

Il s'en fut au placard chercher le porto et les verres, puis revint à moi, souriant toujours :

— Nous arrosons ça. Tu verras, ça marchera bien.

Il répandait la confiance comme une lampe répand la lumière, ce camarade qui devait plus tard battre le record des traversées postales de la Cordillère des Andes et de celles de l'Atlantique Sud. Quelques années plus tôt, ce soir-là, en manches de chemise, les bras croisés sous la lampe, souriant du plus bienfaisant des sourires, il me dit simplement : « Les orages, la brume, la neige, quelquefois ça t'embêtera. Pense alors à tous ceux qui ont connu ça avant toi, et dis-toi simplement : ce que d'autres ont réussi, on peut toujours le réussir. » Cependant, je déroulai mes cartes, et je lui demandai quand même de revoir un peu, avec moi, le voyage. Et, penché sous la lampe, appuyé à l'épaule de l'ancien, je retrouvai la paix du collège.

Mais quelle étrange leçon de géographie je reçus là ! Guillaumet ne m'enseignait pas l'Espagne ; il me faisait de l'Espagne une amie. Il ne me parlait ni d'hydrographie, ni de populations, ni de cheptel. Il ne me parlait pas de Guadix, mais des trois orangers qui, près de Guadix, bordent un champ : « Méfie-toi d'eux, marque-les sur ta carte... » Et les trois orangers y tenaient désormais plus de place que la Sierra Nevada. Il ne me parlait pas de Lorca, mais d'une simple ferme près de Lorca. D'une ferme vivante. Et de son fermier. Et de sa fermière. Et ce couple prenait, perdu dans l'espace, à quinze cents kilomètres de nous, une importance démesurée. Bien installés sur le versant de leur montagne, pareils à des gardiens de phare, ils étaient prêts, sous leurs étoiles, à porter secours à des hommes.

Nous tirions ainsi de leur oubli, de leur inconcevable éloignement, des détails ignorés de tous les géographes du monde. Car l'Ebre seul, qui abreuve de grandes villes, intéresse les géographes. Mais non ce ruisseau caché sous les herbes à l'ouest de Motril, ce père nourricier d'une trentaine de fleurs. « Méfie-toi du ruisseau, il gâte le champ... Porte-le aussi sur ta carte. » Ah! je me souviendrais du serpent de Motril! Il n'avait l'air de rien, c'est à peine si, de son léger murmure, il enchantait quelques grenouilles, mais il ne reposait que d'un œil. Dans le paradis du champ de secours, allongé sous les herbes, il me guettait à deux mille kilomètres d'ici. A la première occasion, il me changerait en gerbe de flammes...

Je les attendais aussi de pied ferme, ces trente moutons de combat, disposés là, au flanc de la colline, prêts à charger : « Tu crois libre ce pré, et puis, vlan! voilà tes trente moutons qui te dévalent sous les roues... » Et moi je répondais par un sourire émerveillé à une menace aussi perfide.

Et, peu à peu, l'Espagne de ma carte devenait, sous la lampe, un pays de contes de fées. Je balisais d'une croix les refuges et les pièges. Je balisais ce fermier, ces trente moutons, ce ruisseau. Je portais, à sa place exacte, cette bergère qu'avaient négligée les géographes.

Quand je pris congé de Guillaumet, j'éprouvai le besoin de marcher par cette soirée glacée d'hiver. Je relevai le col de mon manteau et,

16

parmi les passants ignorants, je promenai une jeune ferveur. J'étais fier de coudoyer ces inconnus avec mon secret au cœur. Ils m'ignoraient, ces barbares, mais leurs soucis, mais leurs élans, c'est à moi qu'ils les confieraient au lever du jour avec la charge des sacs postaux. C'est entre mes mains qu'ils se délivreraient de leurs espérances. Ainsi, emmitouflé dans mon manteau, je faisais parmi eux des pas protecteurs, mais ils ne savaient rien de ma sollicitude.

Ils ne recevaient point, non plus, les messages que je recevais de la nuit. Car elle intéressait ma chair même, cette tempête de neige qui peut-être se préparait, et compliquerait mon premier voyage. Des étoiles s'éteignaient une à une, comment l'eussent-ils appris, ces promeneurs ? J'étais seul dans la confidence. On me communiquait les positions de l'ennemi avant la bataille...

Cependant, ces mots d'ordre qui m'engageaient si gravement, je les recevais près des vitrines éclairées, où luisaient les cadeaux de Noël. Là semblaient exposés, dans la nuit, tous les biens de la terre, et je goûtais l'ivresse orgueilleuse du renoncement. J'étais un guerrier menacé : que m'importaient ces cristaux miroitants destinés aux fêtes du soir, ces abat-jour de lampes, ces livres. Déjà je baignais dans l'embrun, je mordais déjà, pilote de ligne, à la pulpe amère des nuits de vol.

Il était trois heures du matin quand on me réveilla. Je poussai d'un coup sec les persiennes, observai qu'il pleuvait sur la ville et m'habillai gravement.

Une demi-heure plus tard, assis sur ma petite valise, j'attendais à mon tour sur le trottoir luisant de pluie, que l'omnibus passât me prendre. Tant de camarades avant moi, le jour de la consécration, avaient subi cette même attente, le cœur un peu serré. Il surgit enfin au coin de la rue, ce véhicule d'autrefois, qui répandait un bruit de ferraille, et j'eus droit, comme les camarades, à mon tour, à me serrer sur la banquette, entre le douanier mal réveillé et quelques bureaucrates. Cet omnibus sentait le renfermé, l'administration poussiéreuse, le vieux bureau où la vie d'un homme s'enlise. Il stoppait tous les cinq cents mètres pour charger un secrétaire de plus, un douanier de plus, un inspecteur. Ceux qui, déjà, s'y étaient endormis répondaient par un grognement vague au salut du nouvel arrivant qui s'y tassait comme il pouvait, et aussitôt s'endormait à son tour. C'était, sur les pavés inégaux de Toulouse, une sorte de charroi triste ; et le pilote de ligne, mêlé aux fonctionnaires, ne se distinguait d'abord guère d'eux... Mais les réverbères défilaient, mais le terrain se rapprochait, mais ce vieil omnibus branlant n'était plus qu'une chrysalide grise dont l'homme sortirait transfiguré.

Chaque camarade, ainsi, par un matin semblable, avait senti, en lui-même, sous le subalterne vulnérable, soumis encore à la hargne de cet inspecteur, naître le responsable du Courrier d'Espagne et d'Afrique, naître celui qui, trois heures plus tard, affronterait dans les éclairs le dragon de l'Hospitalet... qui, quatre heures plus tard, l'ayant vaincu, déciderait en toute liberté, ayant pleins pouvoirs, le détour par la mer ou

18

l'assaut direct des massifs d'Alcoy, qui traiterait avec l'orage, la montagne, l'océan.

Chaque camarade, ainsi, confondu dans l'équipe anonyme sous le sombre ciel d'hiver de Toulouse, avait senti, par un matin semblable, grandir en lui le souverain qui, cinq heures plus tard, abandonnant derrière lui les pluies et les neiges du Nord, répudiant l'hiver, réduirait le régime du moteur, et commencerait sa descente en plein été, dans le soleil éclatant d'Alicante.

Ce vieil omnibus a disparu, mais son austérité, son inconfort sont restés vivants dans mon souvenir. Il symbolisait bien la préparation nécessaire aux dures joies de notre métier. Tout y prenait une sobriété saisissante. Et je me souviens d'y avoir appris, trois ans plus tard, sans que dix mots eussent été échangés, la mort du pilote Lécrivain, un des cent camarades de la ligne qui, par un jour ou une nuit de brume, prirent leur éternelle retraite.

Il était ainsi trois heures du matin, le même silence régnait, lorsque nous entendîmes le directeur, invisible dans l'ombre, élever la voix vers l'inspecteur :

— Lécrivain n'a pas atterri, cette nuit, à Casablanca.

— Ah! répondit l'inspecteur. Ah?

Et, arraché au cours de son rêve, il fit un effort pour se réveiller, pour montrer son zèle et il ajouta :

— Ah! oui? Il n'a pas réussi à passer? Il a fait demi-tour?

A quoi, dans le fond de l'omnibus, il fut

répondu simplement : « Non. » Nous attendîmes la suite mais aucun mot ne vint. Et à mesure que les secondes tombaient, il devenait plus évident que ce « non » ne serait suivi d'aucun autre mot, que ce « non » était sans appel, que Lécrivain non seulement n'avait pas atterri à Casablanca, mais que jamais il n'atterrirait plus nulle part.

Ainsi ce matin-là, à l'aube de mon premier courrier, je me soumettais à mon tour aux rites sacrés du métier, et je me sentais manquer d'assurance à regarder, à travers les vitres, le macadam luisant où se reflétaient les réverbères. On y voyait, sur les flaques d'eau, de grandes palmes de vent courir. Et je pensais : « Pour mon premier courrier... vraiment... j'ai peu de chance. » Je levai les yeux sur l'inspecteur : « Est-ce du mauvais temps ? » L'inspecteur jeta vers la vitre un regard usé : « Ça ne prouve rien », grogna-t-il enfin. Et je me demandais à quel signe se reconnaissait le mauvais temps. Guillaumet avait effacé, la veille au soir, par un seul sourire, tous les présages malheureux dont nous accablaient les anciens, mais ils me revenaient à la mémoire : « Celui qui ne connaît pas la ligne, caillou par caillou, s'il rencontre une tempête de neige, je le plains... Ah ! oui ! je le plains !... » Il leur fallait bien sauver le prestige, et ils hochaient la tête en nous dévisageant avec une pitié un peu gênante, comme s'ils plaignaient en nous une innocente candeur.

Et, en effet, pour combien d'entre nous, déjà, cet omnibus avait-il servi de dernier refuge ? Soixante, quatre-vingts ? Conduits par le même chauffeur taciturne, un matin de pluie. Je regardais autour de moi : des points lumineux luisaient dans l'ombre, des cigarettes ponctuaient des méditations. Humbles méditations d'employés vieillis. A combien d'entre nous ces compagnons avaient-ils servi de dernier cortège ?

Je surprenais aussi les confidences que l'on échangeait à voix basse. Elles portaient sur les maladies, l'argent, les tristes soucis domestiques. Elles montraient les murs de la prison terne dans laquelle ces hommes s'étaient enfermés. Et, brusquement, m'apparut le visage de la destinée.

Vieux bureaucrate, mon camarade ici présent, nul jamais ne t'a fait évader et tu n'en es point responsable. Tu as construit ta paix à force d'aveugler de ciment, comme le font les termites, toutes les échappées vers la lumière. Tu t'es roulé en boule dans ta sécurité bourgeoise, tes routines, les rites étouffants de ta vie provinciale, tu as élevé cet humble rempart contre les vents et les marées et les étoiles. Tu ne veux point t'inquiéter des grands problèmes, tu as eu bien assez de mal à oublier ta condition d'homme. Tu n'es point l'habitant d'une planète errante, tu ne te poses point de questions sans réponse : tu es un petit bourgeois de Toulouse. Nul ne t'a saisi par les épaules quand il était temps encore. Maintenant, la glaise dont tu es formé a séché, et s'est durcie, et nul en toi ne saurait désormais réveiller le musicien endormi ou le poète, ou l'astronome qui peut-être t'habitait d'abord.

Je ne me plains plus des rafales de pluie. La magie du métier m'ouvre un monde où j'affronterai, avant deux heures, les dragons noirs et les crêtes couronnées d'une chevelure d'éclairs bleus, où, la nuit venue, délivré, je lirai mon chemin dans les astres.

Ainsi se déroulait notre baptême professionnel, et nous commencions de voyager. Ces voyages, le plus souvent, étaient sans histoire. Nous descendions en paix, comme des plongeurs de métier, dans les profondeurs de notre domaine. Il est aujourd'hui bien exploré. Le pilote, le mécanicien et le radio ne tentent plus une aventure, mais s'enferment dans un laboratoire. Ils obéissent à des jeux d'aiguilles, et non plus au déroulement de paysages. Au-dehors, les montagnes sont immergées dans les ténèbres, mais ce ne sont plus des montagnes. Ce sont d'invisibles puissances dont il faut calculer l'approche. Le radio, sagement, sous la lampe, note des chiffres, le mécanicien pointe la carte, et le pilote corrige sa route si les montagnes ont dérivé, si les sommets qu'il désirait doubler à gauche se sont déployés en face de lui dans le silence et le secret de préparatifs militaires.

Quant aux radios de veille au sol, ils prennent sagement, sur leurs cahiers, à la même seconde, la même dictée de leur camarade : « Minuit quarante. Route au 230. Tout va bien à bord. »

Ainsi voyage aujourd'hui l'équipage. Il ne sent point qu'il est en mouvement. Il est très loin, comme la nuit en mer, de tout repère. Mais les moteurs remplissent cette chambre éclairée d'un frémissement qui change sa substance. Mais l'heure tourne. Mais il se poursuit dans ces cadrans, dans ces lampes-radio, dans ces aiguilles toute une alchimie invisible. De seconde en seconde, ces gestes secrets, ces mots étouffés, cette attention préparent le miracle. Et, quand l'heure est venue, le pilote, à coup sûr, peut coller son front à la vitre. L'or est né du Néant : il rayonne dans les feux de l'escale.

Et cependant, nous avons tous connu les voyages, où, tout à coup, à la lumière d'un point de vue particulier, à deux heures de l'escale, nous avons ressenti notre éloignement comme nous ne l'eussions pas ressenti aux Indes, et d'où nous n'espérions plus revenir.

Ainsi, lorsque Mermoz, pour la première fois, franchit l'Atlantique Sud en hydravion, il aborda, vers la tombée du jour, la région du Pot-au-Noir. Il vit, en face de lui, se resserrer, de minute en minute, les queues de tornades, comme on voit se bâtir un mur, puis la nuit s'établir sur ces préparatifs, et les dissimuler. Et quand, une heure plus tard, il se faufila sous les nuages, il déboucha dans un royaume fantastique.

Des trombes marines se dressaient là accumulées et en apparence immobiles comme les piliers noirs d'un temple. Elles supportaient, renflées à leurs extrémités, la voûte sombre et basse de la tempête, mais, au travers des déchirures de la voûte, des pans de lumière tombaient, et la pleine lune rayonnait, entre les piliers, sur les dalles froides de la mer. Et Mermoz poursuivit sa route à travers ces ruines inhabitées, obliquant d'un chenal de lumière à l'autre, contournant ces piliers géants où, sans doute, grondait l'ascension de la mer, marchant quatre heures, le long de ces coulées de lune, vers la sortie du temple. Et ce spectacle était si écrasant que Mermoz, une fois le Pot-au-Noir franchi, s'aperçut qu'il n'avait pas eu peur.

Je me souviens aussi de l'une de ces heures où l'on franchit les lisières du monde réel : les relèvements radiogoniométriques communiqués par les escales sahariennes avaient été faux toute cette nuit-là, et nous avaient gravement trompés, le radiotélégraphiste Néri et moi. Lorsque, ayant vu l'eau luire au fond d'une crevasse de brume, je virai brusquement dans la direction de la côte, nous ne pouvions savoir depuis combien de temps nous nous enfoncions vers la haute mer.

Nous n'étions plus certains de rejoindre la côte, car l'essence manquerait peut-être. Mais, la côte une fois rejointe, il nous eût fallu retrouver l'escale. Or, c'était l'heure du coucher de la lune. Sans renseignements angulaires, déjà sourds, nous devenions peu à peu aveugles. La lune achevait de s'éteindre, comme une braise pâle, dans une brume semblable à un banc de neige. Le ciel, au-dessus de nous, à son tour se couvrait de nuages, et nous naviguions désormais entre ces nuages et cette brume, dans un monde vidé de toute lumière et de toute substance.

Les escales qui nous répondaient renonçaient à nous renseigner sur nous-mêmes : « Pas de relèvements... Pas de relèvements... » car notre voix leur parvenait de partout et de nulle part.

Et brusquement, quand nous désespérions déjà, un point brillant se démasqua sur l'horizon, à l'avant gauche. Je ressentis une joie tumultueuse, Néri se pencha vers moi et je l'entendis qui chantait! Ce ne pouvait être que l'escale, ce ne pouvait être que son phare, car le Sahara, la nuit, s'éteint tout entier et forme un grand territoire mort. La lumière cependant scintilla un peu, puis s'éteignit. Nous avions mis le cap sur une étoile, visible à son coucher, et pour quelques minutes seulement, à l'horizon, entre la couche de brume et les nuages.

Alors, nous vîmes se lever d'autres lumières, et nous mettions, avec une sourde espérance, le cap sur chacune d'elles tour à tour. Et quand le feu se prolongeait, nous tentions l'expérience vitale : « Feu en vue, ordonnait Néri à l'escale de Cisneros, éteignez votre phare et rallumez trois fois. » Cisneros éteignait et rallumait son phare, mais la lumière dure, que nous surveillions, ne clignait pas, incorruptible étoile.

Malgré l'essence qui s'épuisait, nous mordions, chaque fois, aux hameçons d'or, c'était, chaque fois, la vraie lumière d'un phare, c'était, chaque fois, l'escale et la vie, puis il nous fallait changer d'étoile

Dès lors, nous nous sentîmes perdus dans l'espace interplanétaire, parmi cent planètes inaccessibles, à la recherche de la seule planète véritable, de la nôtre, de celle qui, seule, contenait nos paysages familiers, nos maisons amies, nos tendresses.

De celle qui, seule, contenait... Je vous dirai l'image qui m'apparut, et qui vous semblera peut-être puérile. Mais au cœur du danger on conserve des soucis d'homme, et j'avais soif, et j'avais faim. Si nous retrouvions Cisneros, nous poursuivrions le voyage, une fois achevé le plein d'essence, et atterririons à Casablanca, dans la fraîcheur du petit jour. Fini le travail! Néri et moi descendrions en ville. On trouve, à l'aube, de petits bistrots qui s'ouvrent déjà... Néri et moi, nous nous attablerions, bien en sécurité, et riant de la nuit passée, devant les croissants chauds et le café au lait. Néri et moi recevrions ce cadeau matinal de la vie. La vieille paysanne, ainsi, ne rejoint son dieu qu'à travers une image peinte, une médaille naïve, un chapelet : il faut que l'on nous parle un simple langage pour se faire entendre de nous. Ainsi la joie de vivre se ramassait-elle pour moi dans cette première gorgée parfumée et brûlante, dans ce mélange de lait, de café et de blé, par où l'on communie avec les pâturages calmes, les plantations exotiques et les moissons, par où l'on communie avec toute la terre. Parmi tant d'étoiles il n'en était qu'une qui composât, pour se mettre à notre portée, ce bol odorant du repas de l'aube.

Mais des distances infranchissables s'accumulaient entre notre navire et cette terre habitée. Toutes les richesses du monde logeaient dans un grain de poussière égaré parmi les constellations. Et l'astrologue Néri, qui cherchait à le reconnaître, suppliait toujours les étoiles.

Son poing, soudain, bouscula mon épaule. Sur le papier que m'annonçait cette bourrade, je lus : « Tout va bien, je reçois un message magnifique... » Et j'attendis, le cœur battant, qu'il eût achevé de me transcrire les cinq ou six mots qui nous sauveraient. Enfin je le reçus, ce don du ciel.

Il était daté de Casablanca que nous avions quitté la veille au soir. Retardé dans les transmissions, il nous atteignait tout à coup, deux mille kilomètres plus loin, entre les nuages et la brume, et perdus en mer. Ce message émanait du représentant de l'État, à l'aéroport de Casablanca. Et je lus : « Monsieur de Saint-Exupéry, je me vois obligé de demander, pour vous, sanction à Paris, vous avez viré trop près des hangars au départ de Casablanca. » Il était vrai que j'avais viré trop près des hangars. Il était vrai aussi que cet homme faisait son métier en se fâchant. J'eusse subi ce reproche avec humilité dans un bureau d'aéroport. Mais il nous joignait là où il n'avait pas à nous joindre. Il détonnait parmi ces trop rares étoiles, ce lit de brume, ce goût menaçant de la mer. Nous tenions en main nos destinées, celle du courrier et celle de notre navire, nous avions bien du mal à gouverner pour vivre, et cet homme-là purgeait contre nous sa petite rancune. Mais, loin d'être irrités, nous éprouvâmes, Néri et moi, une vaste et soudaine jubilation. Ici, nous étions les maîtres, il nous le faisait découvrir. Il n'avait donc pas vu, à nos manches, ce caporal, que nous étions passés capitaines ? Il nous dérangeait dans notre songe, quand nous faisions gravement les cent pas de la Grande Ourse au Sagittaire, quand la seule affaire à notre échelle, et qui pût nous préoccuper, était cette trahison de la lune...

Le devoir immédiat, le seul devoir de la planète où cet homme se manifestait, était de nous fournir des chiffres exacts, pour nos calculs parmi les astres. Et ils étaient faux. Pour le reste, provisoirement, la planète n'avait qu'à se taire. Et Néri m'écrivit : « Au lieu de s'amuser à des bêtises ils feraient mieux de nous ramener quelque part... » « Ils » résumait pour lui tous les peuples du globe, avec leurs parlements, leurs sénats, leurs marines, leurs armées et leurs empereurs. Et, relisant ce message d'un insensé qui prétendait avoir affaire avec nous, nous virions de bord vers Mercure.

Nous fûmes sauvés par le hasard le plus étrange : vint l'heure où, sacrifiant l'espoir de rejoindre jamais Cisneros et virant perpendiculairement à la direction de la côte, je décidai de tenir ce cap jusqu'à la panne d'essence. Je me réservais ainsi quelques chances de ne pas sombrer en mer. Malheureusement, mes phares en trompe-l'œil m'avaient attiré Dieu sait où. Malheureusement aussi la brume épaisse dans laquelle nous serions contraints, au mieux, de plonger en pleine nuit, nous laissait peu de chances d'aborder le sol sans catastrophe. Mais je n'avais pas à choisir.

La situation était si nette que je haussai mélancoliquement les épaules quand Néri me glissa un message qui, une heure plus tôt, nous eût sauvés : « Cisneros se décide à nous relever. Cisneros indique : deux cent seize douteux... » Cisneros n'était plus enfouie dans les ténèbres, Cisneros se révélait là, tangible, sur notre gauche. Oui, mais à quelle distance ? Nous engageâmes, Néri et moi, une courte conversation. Trop tard. Nous étions d'accord. A courir Cisneros, nous aggravions nos risques de manquer la côte. Et Néri répondit : « Cause une heure d'essence maintenons cap au quatre-vingt-treize. »

Les escales, cependant, une à une se réveillaient. A notre dialogue se mêlaient les voix d'Agadir, de Casablanca, de Dakar. Les postes radio de chacune des villes avaient alerté les aéroports. Les chefs d'aéroports avaient alerté les camarades. Et peu à peu, ils se rassemblaient autour de nous comme autour du lit d'un malade. Chaleur inutile, mais chaleur quand même. Conseils stériles, mais tellement tendres !

Et brusquement Toulouse surgit, Toulouse, tête de ligne, perdue là-bas à quatre mille kilomètres. Toulouse s'installa d'emblée parmi nous et, sans préambule : « Appareil que pilotez n'est-il pas le F... (J'ai oublié l'immatriculation.) — Oui. — Alors disposez encore de deux heures essence. Réservoir de cet appareil n'est pas un réservoir standard. Cap sur Cisneros. »

Ainsi, les nécessités qu'impose un métier, transforment et enrichissent le monde. Il n'est même point besoin de nuit semblable pour faire découvrir par le pilote de ligne un sens nouveau aux vieux spectacles. Le paysage monotone, qui fatigue le passager, est déjà autre pour l'équipage. Cette masse nuageuse, qui barre l'horizon, cesse pour lui d'être un décor : elle intéressera ses muscles et lui posera des problèmes. Déjà il en tient compte, il la mesure, un langage véritable la lie à lui. Voici un pic, lointain encore : quel visage montrera-t-il ?

Au clair de lune, il sera le repère commode. Mais si le pilote vole en aveugle, corrige difficilement sa dérive, et doute de sa position, le pic se changera en explosif, il remplira de sa menace la nuit entière, de même qu'une seule mine immergée, promenée au gré des courants, gâte toute la mer.

Ainsi varient aussi les océans. Aux simples voyageurs, la tempête demeure invisible : observées de si haut, les vagues n'offrent point de relief, et les paquets d'embrun paraissent immobiles. Seules de grandes palmes blanches s'étalent, marquées de nervures et de bavures, prises dans une sorte de gel. Mais l'équipage juge qu'ici tout amerrissage est interdit. Ces palmes sont, pour lui, semblables à de grandes fleurs vénéneuses.

Et si même le voyage est un voyage heureux, le pilote qui navigue quelque part, sur son tronçon de ligne, n'assiste pas à un simple spectacle. Ces couleurs de la terre et du ciel, ces traces de vent sur la mer, ces nuages dorés du crépuscule, il ne les admire point, mais les médite. Semblable au paysan qui fait sa tournée dans son domaine et qui prévoit, à mille signes, la marche du printemps, la menace du gel, l'annonce de la pluie, le pilote de métier, lui aussi, déchiffre des signes de neige, des signes de brume, des signes de nuit bienheureuse. La machine, qui semblait d'abord l'en écarter, le soumet avec plus de rigueur encore aux grands problèmes naturels. Seul au milieu du vaste tribunal qu'un ciel de tempête lui compose, ce pilote dispute son courrier à trois divinités élémentaires, la montagne, la mer et l'orage.

II

LES CAMARADES

1

Quelques camarades, dont Mermoz, fondè-
rent la ligne française de Casablanca à Dakar,
à travers le Sahara insoumis. Les moteurs
d'alors ne résistant guère, une panne livra
Mermoz aux Maures ; ils hésitèrent à le massa-
crer, le gardèrent quinze jours prisonnier, puis
le revendirent. Et Mermoz reprit ses courriers
au-dessus des mêmes territoires.

Lorsque s'ouvrit la ligne d'Amérique, Mermoz,
toujours à l'avant-garde, fut chargé d'étudier
le tronçon de Buenos Aires à Santiago et,
après un pont sur le Sahara, de bâtir un pont
au-dessus des Andes. On lui confia un avion
qui plafonnait à cinq mille deux cents mètres.
Les crêtes de la Cordillère s'élèvent à sept mille
mètres. Et Mermoz décolla pour chercher des
trouées. Après le sable, Mermoz affronta la
montagne, ces pics qui, dans le vent, lâchent
leur écharpe de neige, ce pâlissement des choses
avant l'orage, ces remous si durs qui, subis
entre deux murailles de rocs, obligent le pilote
à une sorte de lutte au couteau. Mermoz s'en-
gageait dans ces combats sans rien connaître

de l'adversaire, sans savoir si l'on sort en vie de telles étreintes. Mermoz « essayait » pour les autres.

Enfin, un jour, à force « d'essayer », il se découvrit prisonnier des Andes.

Échoués, à quatre mille mètres d'altitude, sur un plateau aux parois verticales, son mécanicien et lui cherchèrent pendant deux jours à s'évader. Ils étaient pris. Alors, ils jouèrent leur dernière chance, lancèrent l'avion vers le vide, rebondirent durement sur le sol inégal, jusqu'au précipice, où ils coulèrent. L'avion, dans la chute, prit enfin assez de vitesse pour obéir de nouveau aux commandes. Mermoz le redressa face à une crête, toucha la crête, et, l'eau fusant de toutes les tubulures crevées dans la nuit par le gel, déjà en panne après sept minutes de vol, découvrit la plaine chilienne, sous lui, comme une Terre promise.

Le lendemain, il recommençait.

Quand les Andes furent bien explorées, une fois la technique des traversées bien au point, Mermoz confia ce tronçon à son camarade Guillaumet et s'en fut explorer la nuit.

L'éclairage de nos escales n'était pas encore réalisé, et sur les terrains d'arrivée, par nuit noire on alignait en face de Mermoz la maigre illumination de trois feux d'essence.

Il s'en tira et ouvrit la route.

Lorsque la nuit fut bien apprivoisée, Mermoz essaya l'Océan. Et le courrier, dès 1931, fut transporté, pour la première fois, en quatre jours, de Toulouse à Buenos Aires. Au retour, Mermoz subit une panne d'huile au centre de l'Atlantique Sud et sur une mer démontée.

Un navire le sauva, lui, son courrier et son équipage.

Ainsi Mermoz avait défriché les sables, la montagne, la nuit et la mer. Il avait sombré plus d'une fois dans les sables, la montagne, la nuit et la mer. Et quand il était revenu, c'avait toujours été pour repartir.

Enfin après douze années de travail, comme il survolait une fois de plus l'Atlantique Sud, il signala par un bref message qu'il coupait le moteur arrière droit. Puis le silence se fit.

La nouvelle ne semblait guère inquiétante, et, cependant, après dix minutes de silence, tous les postes radio de la ligne, de Paris jusqu'à Buenos Aires, commencèrent leur veille dans l'angoisse. Car si dix minutes de retard n'ont guère de sens dans la vie journalière, elles prennent dans l'aviation postale une lourde signification. Au cœur de ce temps mort, un événement encore inconnu se trouve enfermé. Insignifiant ou malheureux, il est désormais révolu. La destinée a prononcé son jugement, et, contre ce jugement, il n'est plus d'appel : une main de fer a gouverné un équipage vers l'amerrissage sans gravité ou l'écrasement. Mais le verdict n'est pas signifié à ceux qui attendent.

Lequel d'entre nous n'a point connu ces espérances de plus en plus fragiles, ce silence qui empire de minute en minute comme une maladie fatale ? Nous espérions, puis les heures se sont écoulées et, peu à peu, il s'est fait tard. Il nous a bien fallu comprendre que nos camarades ne rentreraient plus, qu'ils reposaient dans cet Atlantique Sud dont ils avaient si souvent labouré le ciel. Mermoz, décidément, s'était retranché derrière son ouvrage, pareil au moissonneur qui, ayant bien lié sa gerbe, se couche dans son champ.

Quand un camarade meurt ainsi, sa mort paraît encore un acte qui est dans l'ordre du métier, et, tout d'abord, blesse peut-être moins qu'une autre mort. Certes il s'est éloigné celui-là, ayant subi sa dernière mutation d'escale, mais sa présence ne nous manque pas encore en profondeur comme pourrait nous manquer le pain.

Nous avons en effet l'habitude d'attendre longtemps les rencontres. Car ils sont dispersés dans le monde, les camarades de ligne, de Paris à Santiago du Chili, isolés un peu comme des sentinelles qui ne se parleraient guère. Il faut le hasard des voyages pour rassembler, ici ou là, les membres dispersés de la grande famille professionnelle. Autour de la table d'un soir, à Casablanca, à Dakar, à Buenos Aires on reprend, après des années de silence, ces conversations interrompues, on se renoue aux vieux souvenirs. Puis l'on repart. La terre ainsi est à la fois déserte et riche. Riche de ces jardins secrets, cachés, difficiles à atteindre, mais auxquels le métier nous ramène toujours, un jour ou l'autre. Les camarades, la vie peut-être nous en écarte, nous empêche d'y beaucoup penser, mais ils sont quelque part, on ne sait trop où, silencieux et oubliés, mais tellement fidèles! Et si nous croisons leur chemin, ils nous secouent par les épaules avec de belles flambées de joie! Bien sûr, nous avons l'habitude d'attendre...

Mais peu à peu nous découvrons que le rire clair de celui-là nous ne l'entendrons plus jamais, nous découvrons que ce jardin-là nous est interdit pour toujours. Alors commence notre deuil véritable qui n'est point déchirant mais un peu amer.

Rien, jamais, en effet, ne remplacera le compagnon perdu. On ne se crée point de vieux camarades. Rien ne vaut le trésor de tant de souvenirs communs, de tant de mauvaises heures vécues ensemble, de tant de brouilles, de réconciliations, de mouvements du cœur. On ne reconstruit pas ces amitiés-là. Il est vain, si l'on plante un chêne, d'espérer s'abriter bientôt sous son feuillage.

Ainsi va la vie. Nous nous sommes enrichis d'abord, nous avons planté pendant des années, mais viennent les années où le temps défait ce travail et déboise. Les camarades, un à un, nous retirent leur ombre. Et à nos deuils se mêle désormais le regret secret de vieillir.

Telle est la morale que Mermoz et d'autres nous ont enseignée. La grandeur d'un métier est peut-être, avant tout, d'unir des hommes : il n'est qu'un luxe véritable, et c'est celui des relations humaines.

En travaillant pour les seuls biens matériels, nous bâtissons nous-mêmes notre prison. Nous nous enfermons solitaires, avec notre monnaie de cendre qui ne procure rien qui vaille de vivre.

Si je cherche dans mes souvenirs ceux qui m'ont laissé un goût durable, si je fais le bilan des heures qui ont compté, à coup sûr je retrouve celles que nulle fortune ne m'eût procurées. On n'achète pas l'amitié d'un Mermoz, d'un compagnon que les épreuves vécues ensemble ont lié à nous pour toujours.

Cette nuit de vol et ses cent mille étoiles, cette sérénité, cette souveraineté de quelques heures, l'argent ne les achète pas.

Cet aspect neuf du monde après l'étape difficile, ces arbres, ces fleurs, ces femmes, ces sourires fraîchement colorés par la vie qui vient de nous être rendue à l'aube, ce concert des petites choses qui nous récompensent, l'argent ne les achète pas.

Ni cette nuit vécue en dissidence et dont le souvenir me revient.

Nous étions trois équipages de l'Aéropostale échoués à la tombée du jour sur la côte de Rio de Oro. Mon camarade Riguelle s'était posé d'abord, à la suite d'une rupture de bielle ; un autre camarade, Bourgat, avait atterri à son tour pour recueillir son équipage, mais une avarie sans gravité l'avait aussi cloué au sol. Enfin, j'atterris, mais quand je survins la nuit tombait. Nous décidâmes de sauver l'avion de Bourgat, et, afin de mener à bien la réparation, d'attendre le jour.

Une année plus tôt, nos camarades Gourp et Érable, en panne ici, exactement, avaient été massacrés par les dissidents. Nous savions qu'aujourd'hui aussi un rezzou de trois cents fusils campait quelque part à Bojador. Nos trois atterrissages, visibles de loin, les avaient peut-être alertés, et nous commencions une veille qui pouvait être la dernière.

Nous nous sommes donc installés pour la

nuit. Ayant débarqué des soutes à bagages cinq ou six caisses de marchandises, nous les avons vidées et disposées en cercle et, au fond de chacune d'elles, comme au creux d'une guérite, nous avons allumé une pauvre bougie, mal protégée contre le vent. Ainsi, en plein désert, sur l'écorce nue de la planète, dans un isolement des premières années du monde, nous avons bâti un village d'hommes.

Groupés pour la nuit sur cette grande place de notre village, ce coupon de sable où nos caisses versaient une lueur tremblante, nous avons attendu. Nous attendions l'aube qui nous sauverait, ou les Maures. Et je ne sais ce qui donnait à cette nuit son goût de Noël. Nous nous racontions des souvenirs, nous nous plaisantions et nous chantions.

Nous goûtions cette même ferveur légère qu'au cœur d'une fête bien préparée. Et cependant, nous étions infiniment pauvres. Du vent, du sable, des étoiles. Un style dur pour trappistes. Mais sur cette nappe mal éclairée, six ou sept hommes qui ne possédaient plus rien au monde, sinon leurs souvenirs, se partageaient d'invisibles richesses.

Nous nous étions enfin rencontrés. On chemine longtemps côte à côte, enfermé dans son propre silence, ou bien l'on échange des mots qui ne transportent rien. Mais voici l'heure du danger. Alors on s'épaule l'un à l'autre. On découvre que l'on appartient à la même communauté. On s'élargit par la découverte d'autres consciences. On se regarde avec un grand sourire. On est semblable à ce prisonnier délivré qui s'émerveille de l'immensité de la mer.

2

Guillaumet, je dirai quelques mots sur toi, mais je ne te gênerai point en insistant avec lourdeur sur ton courage ou sur ta valeur professionnelle. C'est autre chose que je voudrais décrire en racontant la plus belle de tes aventures.

Il est une qualité qui n'a point de nom. Peut-être est-ce la « gravité », mais le mot ne satisfait pas. Car cette qualité peut s'accompagner de la gaieté la plus souriante. C'est la qualité même du charpentier qui s'installe d'égal à égal en face de sa pièce de bois, la palpe, la mesure et, loin de la traiter à la légère, rassemble à son propos toutes ses vertus.

J'ai lu, autrefois, Guillaumet, un récit où l'on célébrait ton aventure, et j'ai un vieux compte à régler avec cette image infidèle. On t'y voyait, lançant des boutades de « gavroche », comme si le courage consistait à s'abaisser à des railleries de collégien, au cœur des pires dangers et à l'heure de la mort. On ne te connaissait pas, Guillaumet. Tu n'éprouves pas le besoin, avant de les affronter, de tourner en dérision tes adversaires. En face d'un mauvais orage, tu juges : « Voici un mauvais orage. » Tu l'acceptes et tu le mesures.

Je t'apporte ici, Guillaumet, le témoignage de mes souvenirs.

Tu avais disparu depuis cinquante heures, en hiver, au cours d'une traversée des Andes. Rentrant du fond de la Patagonie, je rejoignis le pilote Deley à Mendoza. L'un et l'autre, cinq jours durant, nous fouillâmes, en avion, cet amoncellement de montagnes, mais sans rien découvrir. Nos deux appareils ne suffisaient guère. Il nous semblait que cent escadrilles, naviguant pendant cent années, n'eussent pas achevé d'explorer cet énorme massif dont les crêtes s'élèvent jusqu'à sept mille mètres. Nous avions perdu tout espoir. Les contrebandiers mêmes, des bandits qui, là-bas, osent un crime pour cinq francs, nous refusaient d'aventurer, sur les contreforts de la montagne, des caravanes de secours : « Nous y risquerions notre vie », nous disaient-ils. « Les Andes, en hiver, ne rendent point les hommes. » Lorsque Deley ou moi atterrissions à Santiago, les officiers chiliens, eux aussi, nous conseillaient de suspendre nos explorations. « C'est l'hiver. Votre camarade, si même il a survécu à la chute, n'a pas survécu à la nuit. La nuit, là-haut, quand elle passe sur l'homme, elle le change en glace. » Et lorsque, de nouveau, je me glissais entre les murs et les piliers géants des Andes, il me semblait, non plus te rechercher, mais veiller ton corps, en silence, dans une cathédrale de neige.

Enfin, au cours du septième jour, tandis que je déjeunais entre deux traversées, dans un restaurant de Mendoza, un homme poussa la porte et cria, oh! peu de chose :

— Guillaumet... vivant!

Et tous les inconnus qui se trouvaient là s'embrassèrent.

Dix minutes plus tard, j'avais décollé, ayant chargé à bord deux mécaniciens, Lefebvre et Abri. Quarante minutes plus tard, j'avais atterri le long d'une route, ayant reconnu, à je ne sais quoi, la voiture qui t'emportait je ne sais où, du côté de San Rafael. Ce fut une belle rencontre, nous pleurions tous, et nous t'écrasions dans nos bras, vivant, ressuscité, auteur de ton propre miracle. C'est alors que tu exprimas, et ce fut ta première phrase intelligible, un admirable orgueil d'homme : « Ce que j'ai fait, je te le jure, jamais aucune bête ne l'aurait fait. »

Plus tard, tu nous racontas l'accident.

Une tempête qui déversa cinq mètres d'épaisseur de neige, en quarante-huit heures, sur le versant chilien des Andes, bouchant tout l'espace, les Américains de la Pan-Air avaient fait demi-tour. Tu décollais pourtant à la recherche d'une déchirure dans le ciel. Tu le découvrais un peu plus au sud, ce piège, et maintenant, vers six mille cinq cents mètres, dominant les nuages qui ne plafonnaient qu'à six mille, et dont émergeaient seules les hautes crêtes, tu mettais le cap sur l'Argentine.

Les courants descendants donnent parfois aux pilotes une bizarre sensation de malaise. Le moteur tourne rond, mais l'on s'enfonce. On cabre pour sauver son altitude, l'avion perd sa vitesse et devient mou : on s'enfonce toujours. On rend la main, craignant maintenant d'avoir trop cabré, on se laisse dériver sur la droite ou sur la gauche pour s'adosser à la crête favorable, celle qui reçoit les vents comme un tremplin, mais l'on s'enfonce encore. C'est le ciel entier qui semble descendre. On se sent pris, alors, dans une sorte d'accident cosmique. Il n'est plus de refuge. On tente en vain le demi-tour pour rejoindre, en arrière, les zones où l'air vous soutenait, solide et plein comme un pilier. Mais il n'est plus de pilier. Tout se décompose, et l'on glisse dans un délabrement universel vers le nuage qui monte mollement, se hausse jusqu'à vous, et vous absorbe.

« J'avais déjà failli me faire coincer, nous disais-tu, mais je n'étais pas convaincu encore. On rencontre des courants descendants au-dessus de nuages qui paraissent stables, pour la simple raison qu'à la même altitude ils se recomposent indéfiniment. Tout est si bizarre en haute montagne... »

Et quels nuages!...

« Aussitôt pris, je lâchai les commandes, me cramponnant au siège pour ne point me laisser projeter au-dehors. Les secousses étaient si dures que les courroies me blessaient aux épaules et eussent sauté. Le givrage, de plus, m'avait privé net de tout horizon instrumental et je fus roulé comme un chapeau, de six mille à trois mille cinq.

« A trois mille cinq j'entrevis une masse noire, horizontale, qui me permit de rétablir l'avion. C'était un étang que je reconnus : la Laguna Diamante. Je la savais logée au fond d'un entonnoir, dont un des flancs, le volcan Maipu, s'élève à six mille neuf cents mètres. Quoique délivré du nuage, j'étais encore aveuglé par d'épais tourbillons de neige, et ne pouvais lâcher mon lac sans m'écraser contre un des flancs de l'entonnoir. Je tournai donc autour de la lagune, à trente mètres d'altitude, jusqu'à la panne d'essence. Après deux heures de manège, je me posai et capotai. Quand je me dégageai de l'avion, la tempête me renversa. Je me rétablis sur mes pieds, elle me renversa encore. J'en fus réduit à me glisser sous la carlingue et à creuser un abri dans la neige. Je m'enveloppai là de sacs postaux et, quarante-huit heures durant, j'attendis.

« Après quoi, la tempête apaisée, je me mis en marche. Je marchai cinq jours et quatre nuits. »

Mais que restait-il de toi, Guillaumet ? Nous te retrouvions bien, mais calciné, mais racorni, mais rapetissé comme une vieille ! Le soir même, en avion, je te ramenais à Mendoza où des draps blancs coulaient sur toi comme un baume. Mais ils ne te guérissaient pas. Tu étais encombré de ce corps courbatu, que tu tournais et retournais, sans parvenir à le loger dans le sommeil. Ton corps n'oubliait pas les rochers ni les neiges. Ils te marquaient. J'observais ton visage noir, tuméfié, semblable à un fruit blet qui a reçu des coups. Tu étais très laid, et misérable, ayant perdu l'usage des beaux outils de ton travail : tes mains demeuraient gourdes, et quand, pour respirer, tu t'asseyais sur le bord de ton lit, tes pieds gelés pendaient comme deux poids morts. Tu n'avais même pas terminé ton voyage, tu haletais encore, et, lorsque tu te retournais contre l'oreiller, pour chercher la paix, alors une procession d'images que tu ne pouvais retenir, une procession qui s'impatientait dans les coulisses, aussitôt se mettait en branle sous ton crâne. Et elle défilait. Et tu reprenais vingt fois le combat contre des ennemis qui ressuscitaient de leurs cendres.

Je te remplissais de tisanes :

— Bois, mon vieux!

— Ce qui m'a le plus étonné... tu sais...

Boxeur vainqueur, mais marqué des grands coups reçus, tu revivais ton étrange aventure. Et tu t'en délivrais par bribes. Et je t'apercevais, au cours de ton récit nocturne, marchant, sans piolet, sans cordes, sans vivres, escaladant des cols de quatre mille cinq cents mètres, ou progressant le long de parois verticales, saignant des pieds, des genoux et des mains, par quarante degrés de froid. Vidé peu à peu de ton sang, de tes forces, de ta raison, tu avançais avec un entêtement de fourmi, revenant sur tes pas pour contourner l'obstacle, te relevant après les chutes, ou remontant celles des pentes qui n'aboutissaient qu'à l'abîme, ne t'accordant enfin aucun repos, car tu ne te serais pas relevé du lit de neige.

Et, en effet, quand tu glissais, tu devais te redresser vite, afin de n'être point changé en pierre. Le froid te pétrifiait de seconde en seconde, et, pour avoir goûté, après la chute, une minute de repos de trop, tu devais faire jouer, pour te relever, des muscles morts.

Tu résistais aux tentations. « Dans la neige, me disais-tu, on perd tout instinct de conservation. Après deux, trois, quatre jours de marche, on ne souhaite plus que le sommeil.

Je le souhaitais. Mais je me disais : « Ma femme, si elle croit que je vis, croit que je marche. Les camarades croient que je marche. Ils ont tous confiance en moi. Et je suis un salaud si je ne marche pas. »

Et tu marchais, et, de la pointe du canif, tu entamais, chaque jour un peu plus, l'échancrure de tes souliers, pour que tes pieds qui gelaient et gonflaient, y pussent tenir.

Tu m'as fait cette étrange confidence :

« Dès le second jour, vois-tu, mon plus gros travail fut de m'empêcher de penser. Je souffrais trop, et ma situation était par trop désespérée. Pour avoir le courage de marcher, je ne devais pas la considérer. Malheureusement, je contrôlais mal mon cerveau, il travaillait comme une turbine. Mais je pouvais lui choisir encore ses images. Je l'emballais sur un film, sur un livre. Et le film ou le livre défilait en moi à toute allure. Puis ça me ramenait à ma situation présente. Immanquablement. Alors je le lançais sur d'autres souvenirs... »

Une fois cependant, ayant glissé, allongé à plat ventre dans la neige, tu renonças à te relever. Tu étais semblable au boxeur qui, vidé d'un coup de toute passion, entend les secondes tomber une à une dans un univers étranger, jusqu'à la dixième qui est sans appel.

« J'ai fait ce que j'ai pu et je n'ai point d'espoir, pourquoi m'obstiner dans ce martyre ? » Il te suffisait de fermer les yeux pour faire la paix dans le monde. Pour effacer du monde les rocs, les glaces et les neiges. A peine closes, ces paupières miraculeuses, il n'était plus ni coups, ni chutes, ni muscles déchirés, ni gel brûlant, ni ce poids de la vie à traîner quand on va comme un bœuf, et qu'elle se fait plus lourde qu'un char. Déjà, tu le goûtais, ce froid devenu poison, et qui, semblable à la morphine, t'emplissait maintenant de béatitude. Ta vie se réfugiait autour du cœur. Quelque chose de doux et de précieux se blottissait au centre de toi-même. Ta conscience peu à peu abandonnait les régions lointaines de ce corps qui, bête jusqu'alors gorgée de souffrances, participait déjà de l'indifférence du marbre.

Tes scrupules mêmes s'apaisaient. Nos appels ne t'atteignaient plus, ou, plus exactement, se changeaient pour toi en appels de rêve. Tu répondais heureux par une marche de rêve, par de longues enjambées faciles, qui t'ouvraient sans efforts les délices des plaines. Avec quelle aisance tu glissais dans un monde devenu si tendre pour toi! Ton retour, Guillaumet, tu décidais, avare, de nous le refuser.

Les remords vinrent de l'arrière-fond de ta conscience. Au songe se mêlaient soudain des détails précis. « Je pensais à ma femme. Ma police d'assurance lui épargnerait la misère. Oui, mais l'assurance... »

Dans le cas d'une disparition, la mort légale est différée de quatre années. Ce détail t'apparut éclatant, effaçant les autres images. Or, tu étais étendu à plat ventre sur une forte pente de neige. Ton corps, l'été venu, roulerait avec cette boue vers une des mille crevasses des Andes. Tu le savais. Mais tu savais aussi qu'un rocher émergeait à cinquante mètres devant toi : « J'ai pensé : « Si je me relève, je pourrai peut-être l'atteindre. Et si je cale mon corps contre la pierre, l'été venu on le retrouvera. »

Une fois debout, tu marchas deux nuits et trois jours.

Mais tu ne pensais guère aller loin :

« Je devinai la fin à beaucoup de signes. Voici l'un d'eux. J'étais contraint de faire halte toutes les deux heures environ, pour fendre un peu plus mon soulier, frictionner de neige mes pieds qui gonflaient, ou simplement pour laisser reposer mon cœur. Mais vers les derniers jours je perdais la mémoire. J'étais reparti depuis longtemps déjà, lorsque la lumière se faisait en moi : j'avais chaque fois oublié quelque chose. La première fois, ce fut un gant, et c'était grave par ce froid! Je l'avais déposé devant moi et j'étais reparti sans le ramasser. Ce fut ensuite ma montre. Puis mon canif. Puis ma boussole. A chaque arrêt, je m'appauvrissais...

« Ce qui sauve, c'est de faire un pas. Encore un pas. C'est toujours le même pas que l'on recommence... »

« Ce que j'ai fait, je le jure, jamais aucune bête ne l'aurait fait. » Cette phrase, la plus noble que je connaisse, cette phrase qui situe l'homme, qui l'honore, qui rétablit les hiérarchies vraies, me revenait à la mémoire. Tu t'endormais enfin, ta conscience était abolie, mais de ce corps démantelé, fripé, brûlé, elle allait renaître au réveil, et de nouveau le dominer. Le corps, alors, n'est plus qu'un bon outil, le corps n'est plus qu'un serviteur. Et, cet orgueil du bon outil, tu savais l'exprimer aussi, Guillaumet :

« Privé de nourriture, tu t'imagines bien qu'au troisième jour de marche... mon cœur, ça n'allait plus très fort... Eh bien! le long d'une pente verticale, sur laquelle je progressais, suspendu au-dessus du vide, creusant des trous pour loger mes poings, voilà que mon cœur tombe en panne. Ça hésite, ça repart. Ça bat de travers. Je sens que s'il hésite une seconde de trop, je lâche. Je ne bouge plus et j'écoute en moi. Jamais, tu m'entends? Jamais en avion je ne me suis senti accroché d'aussi près à mon moteur, que je ne me suis senti, pendant ces quelques minutes-là, suspendu à mon cœur. Je lui disais : « Allons, un effort! Tâche de battre encore... » Mais c'était un cœur de bonne qualité! Il hésitait, puis repartait toujours... Si tu savais combien j'étais fier de ce cœur! »

Dans la chambre de Mendoza où je te veillais, tu t'endormais enfin d'un sommeil essoufflé. Et je pensais : « Si on lui parlait de son courage, Guillaumet hausserait les épaules. Mais on le trahirait aussi en célébrant sa modestie. Il se situe bien au-delà de cette qualité médiocre. S'il hausse les épaules, c'est par sagesse. Il sait qu'une fois pris dans l'événement, les hommes ne s'en effraient plus. Seul l'inconnu épouvante les hommes. Mais, pour quiconque l'affronte, il n'est déjà plus l'inconnu. Surtout si on l'observe avec cette gravité lucide. Le courage de Guillaumet, avant tout, est un effet de sa droiture. »

Sa véritable qualité n'est point là. Sa grandeur, c'est de se sentir responsable. Responsable de lui, du courier et des camarades qui espèrent. Il tient dans ses mains leur peine ou leur joie. Responsable de ce qui se bâtit de neuf, là-bas, chez les vivants, à quoi il doit participer. Responsable un peu du destin des hommes, dans la mesure de son travail.

Il fait partie des êtres larges qui acceptent de couvrir de larges horizons de leur feuillage. Être homme, c'est précisément être responsable. C'est connaître la honte en face d'une misère qui ne semblait pas dépendre de soi. C'est être fier d'une victoire que les camarades ont remportée. C'est sentir, en posant sa pierre, que l'on contribue à bâtir le monde.

On veut confondre de tels hommes avec les toréadors ou les joueurs. On vante leur mépris de la mort. Mais je me moque bien du mépris de la mort. S'il ne tire pas ses racines d'une responsabilité acceptée, il n'est que signe de pauvreté ou d'excès de jeunesse. J'ai connu un suicidé jeune. Je ne sais plus quel chagrin d'amour l'avait poussé à se tirer soigneusement une balle dans le cœur. Je ne sais à quelle tentation littéraire il avait cédé en habillant ses mains de gants blancs, mais je me souviens d'avoir ressenti en face de cette triste parade une impression non de noblesse mais de misère. Ainsi, derrière ce visage aimable, sous ce crâne d'homme, il n'y avait rien eu, rien. Sinon l'image de quelque sotte petite fille semblable à d'autres.

Face à cette destinée maigre, je me rappelais une vraie mort d'homme. Celle d'un jardinier, qui me disait : « Vous savez... parfois je suais quand je bêchais. Mon rhumatisme me tirait la jambe, et je pestais contre cet esclavage. Eh bien, aujourd'hui, je voudrais bêcher, bêcher dans la terre. Bêcher ça me paraît tellement beau! On est tellement libre quand on bêche! Et puis, qui va tailler aussi mes arbres? » Il laissait une terre en friche. Il laissait une planète en friche. Il était lié d'amour à toutes les terres et à tous les arbres de la terre. C'était lui le généreux, le prodigue, le grand seigneur! C'était lui, comme Guillaumet, l'homme courageux, quand il luttait au nom de sa Création, contre la mort.

III

L'AVION

Qu'importe, Guillaumet, si tes journées et tes nuits de travail s'écoulent à contrôler des manomètres, à t'équiliber sur des gyroscopes, à ausculter des souffles de moteurs, à t'épauler contre quinze tonnes de métal : les problèmes qui se posent à toi sont, en fin de compte, des problèmes d'homme, et tu rejoins, d'emblée, de plain-pied, la noblesse du montagnard. Aussi bien qu'un poète, tu sais savourer l'annonce de l'aube. Du fond de l'abîme des nuits difficiles, tu as souhaité si souvent l'apparition de ce bouquet pâle, de cette clarté qui sourd, à l'est, des terres noires. Cette fontaine miraculeuse, quelquefois, devant toi, s'est dégelée avec lenteur et t'a guéri quand tu croyais mourir.

L'usage d'un instrument savant n'a pas fait de toi un technicien sec. Il me semble qu'ils confondent but et moyen ceux qui s'effraient par trop de nos progrès techniques. Quiconque lutte dans l'unique espoir de biens matériels, en effet, ne récolte rien qui vaille de vivre. Mais la machine n'est pas un but. L'avion n'est pas un but : c'est un outil. Un outil comme la charrue.

Si nous croyons que la machine abîme l'homme c'est que, peut-être, nous manquons un peu de recul pour juger les effets de transformations aussi rapides que celles que nous avons subies. Que sont les cent années de l'histoire de la machine en regard des deux cent mille années de l'histoire de l'homme ? C'est à peine si nous nous installons dans ce paysage de mines et de centrales électriques. C'est à peine si nous commençons d'habiter cette maison nouvelle, que nous n'avons même pas achevé de bâtir. Tout a changé si vite autour de nous : rapports humains, conditions de travail, coutumes. Notre psychologie elle-même a été bousculée dans ses bases les plus intimes. Les notions de séparation, d'absence, de distance, de retour, si les mots sont demeurés les mêmes, ne contiennent plus les mêmes réalités. Pour saisir le monde aujourd'hui, nous usons d'un langage qui fut établi pour le monde d'hier. Et la vie du passé nous semble mieux répondre à notre nature, pour la seule raison qu'elle répond mieux à notre langage.

Chaque progrès nous a chassés un peu plus loin hors d'habitudes que nous avions à peine acquises, et nous sommes véritablement des émigrants qui n'ont pas fondé encore leur patrie.

Nous sommes tous de jeunes barbares que nos jouets neufs émerveillent encore. Nos courses d'avions n'ont point d'autre sens. Celui-là monte plus haut, court plus vite. Nous oublions pourquoi nous le faisons courir. La course, provisoirement, l'emporte sur son objet. Et il en est toujours de même. Pour le colonial qui fonde un empire, le sens de la vie est de conquérir.

Le soldat méprise le colon. Mais le but de cette conquête n'était-il pas l'établissement de ce colon? Ainsi dans l'exaltation de nos progrès, nous avons fait servir les hommes à l'établissement des voies ferrées, à l'érection des usines, au forage de puits de pétrole. Nous avions un peu oublié que nous dressions ces constructions pour servir les hommes. Notre morale fut, pendant la durée de la conquête, une morale de soldats. Mais il nous faut, maintenant, coloniser. Il nous faut rendre vivante cette maison neuve qui n'a point encore de visage. La vérité, pour l'un, fut de bâtir, elle est, pour l'autre, d'habiter.

Notre maison se fera sans doute, peu à peu, plus humaine. La machine elle-même, plus elle se perfectionne, plus elle s'efface derrière son rôle. Il semble que tout l'effort industriel de l'homme, tous ses calculs, toutes ses nuits de veille sur les épures, n'aboutissent, comme signes visibles, qu'à la seule simplicité, comme s'il fallait l'expérience de plusieurs générations pour dégager peu à peu la courbe d'une colonne, d'une carène, ou d'un fuselage d'avion, jusqu'à leur rendre la pureté élémentaire de la courbe d'un sein ou d'une épaule. Il semble que le travail des ingénieurs, des dessinateurs, des calculateurs du bureau d'études ne soit ainsi en apparence, que de polir et d'effacer, d'alléger ce raccord, d'équilibrer cette aile, jusqu'à ce qu'on ne la remarque plus, jusqu'à ce qu'il n'y ait plus une aile accrochée à un fuselage, mais une forme parfaitement épanouie, enfin dégagée de sa gangue, une sorte d'ensemble spontané, mystérieusement lié, et de la même qualité que celle du poème. Il semble que la perfection soit atteinte non quand il n'y a plus rien à ajouter, mais quand il n'y a plus rien à retrancher. Au terme de son évolution, la machine se dissimule.

La perfection de l'invention confine ainsi à l'absence d'invention. Et, de même que, dans l'instrument, toute mécanique apparente s'est peu à peu effacée, et qu'il nous est livré un objet aussi naturel qu'un galet poli par la mer, il est également admirable que, dans son usage même, la machine peu à peu se fasse oublier.

Nous étions autrefois en contact avec une usine compliquée. Mais aujourd'hui nous oublions qu'un moteur tourne. Il répond enfin à sa fonction, qui est de tourner, comme un cœur bat, et nous ne prêtons point, non plus, attention à notre cœur. Cette attention n'est plus absorbée par l'outil. Au-delà de l'outil, et à travers lui, c'est la vieille nature que nous retrouvons, celle du jardinier, du navigateur, ou du poète.

C'est avec l'eau, c'est avec l'air que le pilote qui décolle entre en contact. Lorsque les moteurs sont lancés, lorsque l'appareil déjà creuse la mer, contre un clapotis dur la coque sonne comme un gong, et l'homme peut suivre ce travail à l'ébranlement de ses reins. Il sent l'hydravion, seconde par seconde, à mesure qu'il gagne sa vitesse, se charger de pouvoir. Il sent se préparer dans ces quinze tonnes de matières, cette maturité qui permet le vol. Le pilote ferme les mains sur les commandes et, peu à peu, dans ses paumes creuses, il reçoit ce pouvoir comme un don. Les organes de métal des commandes, à mesure que ce don lui est accordé, se font les messagers de sa puissance. Quand elle est mûre, d'un mouvement plus souple que celui de cueillir, le pilote sépare l'avion d'avec les eaux, et l'établit dans les airs.

IV

L'AVION ET LA PLANÈTE

1

L'avion est une machine sans doute, mais quel instrument d'analyse! Cet instrument nous a fait découvrir le vrai visage de la terre. Les routes, en effet, durant des siècles, nous ont trompés. Nous ressemblions à cette souveraine qui désira visiter ses sujets et connaître s'ils se réjouissaient de son règne. Ses courtisans, afin de l'abuser, dressèrent sur son chemin quelques heureux décors et payèrent des figurants pour y danser. Hors du mince fil conducteur, elle n'entrevit rien de son royanme, et ne sut point qu'au large des campagnes ceux qui mouraient de faim la maudissaient.

Ainsi, cheminions-nous le long des routes sinueuses. Elles évitent les terres stériles, les rocs, les sables, elles épousent les besoins de l'homme et vont de fontaine en fontaine. Elles conduisent les campagnards de leurs granges aux terres à blé, reçoivent au seuil des étables le bétail encore endormi et le versent, dans l'aube, aux luzernes. Elles joignent ce village à cet autre village, car de l'un à l'autre on se marie. Et si même l'une d'elles s'aventure à franchir un désert, la voilà qui fait vingt détours pour se réjouir des oasis.

Ainsi trompés par leurs inflexions comme par autant d'indulgents mensonges, ayant longé, au cours de nos voyages, tant de terres bien arrosées, tant de vergers, tant de prairies, nous avons longtemps embelli l'image de notre prison. Cette planète, nous l'avons crue humide et tendre.

Mais notre vue s'est aiguisée, et nous avons fait un progrès cruel. Avec l'avion, nous avons appris la ligne droite. A peine avons-nous décollé nous lâchons ces chemins qui s'inclinent vers les abreuvoirs et les étables, ou serpentent de ville en ville. Affranchis désormais des servitudes bien-aimées, délivrés du besoin des fontaines, nous mettons le cap sur nos buts lointains. Alors seulement, du haut de nos trajectoires rectilignes, nous découvrons le soubassement essentiel, l'assise de rocs, de sable, et de sel, où la vie, quelquefois, comme un peu de mousse au creux des ruines, ici et là se hasarde à fleurir.

Nous voilà donc changés en physiciens, en biologistes, examinant ces civilisations qui ornent des fonds de vallées, et, parfois, par miracle, s'épanouissent comme des parcs là où le climat les favorise. Nous voilà donc jugeant l'homme à l'échelle cosmique, l'observant à travers nos hublots, comme à travers des instruments d'étude. Nous voilà relisant notre histoire.

Le pilote qui se dirige vers le détroit de Magellan, survole un peu au sud de Rio Gallegos une ancienne coulée de lave. Ces décombres pèsent sur la plaine de leurs vingt mètres d'épaisseur. Puis, il rencontre une seconde coulée, une troisième, et désormais chaque bosse du sol, chaque mamelon de deux cents mètres, porte au flanc son cratère. Point d'orgueilleux Vésuve : posées à même la plaine, des gueules d'obusiers.

Mais aujourd'hui le calme s'est fait. On le subit avec surprise dans ce paysage désaffecté, où mille volcans se répondaient l'un l'autre, de leurs grandes orgues souterraines, quand ils crachaient leur feu. Et l'on survole une terre désormais muette, ornée de glaciers noirs.

Mais, plus loin, des volcans plus anciens sont habillés déjà d'un gazon d'or. Un arbre parfois pousse dans leur creux comme une fleur dans un vieux pot. Sous une lumière couleur de fin de jour, la plaine se fait luxueuse comme un parc, civilisée par l'herbe courte, et ne se bombe plus qu'à peine autour de ses gosiers géants. Un lièvre détale, un oiseau s'envole, la vie a pris possession d'une planète neuve, où la bonne pâte de la terre s'est enfin déposée sur l'astre.

Enfin, un peu avant Punta Arenas, les derniers cratères se comblent. Une pelouse unie épouse les courbes des volcans : ils ne sont plus désormais que douceur. Chaque fissure est recousue par ce lin tendre. La terre est lisse, les pentes sont faibles, et l'on oublie leur origine.

Cette pelouse efface, du flanc des collines, le signe sombre.

Et voici la ville la plus sud du monde, permise par le hasard d'un peu de boue, entre les laves originelles et les glaces australes. Si près des coulées noires, comme on sent bien le miracle de l'homme! L'étrange rencontre! On ne sait comment, on ne sait pourquoi ce passager visite ces jardins préparés, habitables pour un temps si court, une époque géologique, un jour béni parmi les jours.

J'ai atterri dans la douceur du soir. Punta Arenas! Je m'adosse contre une fontaine et regarde les jeunes filles. A deux pas de leur grâce, je sens mieux encore le mystère humain. Dans un monde où la vie rejoint si bien la vie, où les fleurs dans le lit même du vent se mêlent aux fleurs, où le cygne connaît tous les cygnes, les hommes seuls bâtissent leur solitude.

Quel espace réserve entre eux leur part spirituelle! Un songe de jeune fille l'isole de moi, comment l'y joindre? Que connaître d'une jeune fille qui rentre chez elle à pas lents, les yeux baissés et se souriant à elle-même, et déjà pleine d'inventions et de mensonges adorables? Elle a pu, des pensées, de la voix et des silences d'un amant, se former un Royaume, et dès lors il n'est plus pour elle, en dehors de lui, que des barbares. Mieux que dans une autre planète, je la sens enfermée dans son secret, dans ses coutumes, dans les échos chantants de sa mémoire. Née hier de volcans, de pelouses ou de la saumure des mers, la voici déjà à demi divine.

Punta Arenas! Je m'adosse contre une fontaine. Des vieilles viennent y puiser ; de leur drame je ne connaîtrai que ce mouvement de servantes. Un enfant, la nuque au mur, pleure en silence ; il ne subsistera de lui, dans mon souvenir, qu'un bel enfant à jamais inconsolable. Je suis un étranger. Je ne sais rien. Je n'entre pas dans leurs Empires.

Dans quel mince décor se joue ce vaste jeu des haines, des amitiés, des joies humaines ! D'où les hommes tirent-ils ce goût d'éternité, hasardés comme ils sont sur une lave encore tiède, et déjà menacés par les sables futurs, menacés par les neiges ? Leurs civilisations ne sont que fragiles dorures : un volcan les efface, une mer nouvelle, un vent de sable.

Cette ville semble reposer sur un vrai sol que l'on croit riche en profondeur comme une terre de Beauce. On oublie que la vie, ici comme ailleurs, est un luxe, et qu'il n'est nulle part de terre bien profonde sous le pas des hommes. Mais je connais, à dix kilomètres de Punta Arenas, un étang qui nous le démontre. Cerné d'arbres rabougris et de maisons basses, humble comme une mare dans une cour de ferme, il subit inexplicablement les marées. Poursuivant nuit et jour sa lente respiration parmi tant de réalités paisibles, ces roseaux, ces enfants qui jouent, il obéit à d'autres lois. Sous la surface unie, sous la glace immobile, sous l'unique barque délabrée, l'énergie de la lune opère. Des remous marins travaillent, dans ses profondeurs, cette masse noire. D'étranges digestions se poursuivent, là autour et jusqu'au détroit de Magellan, sous la couche légère d'herbe et de fleurs. Cette mare de cent mètres de large, au seuil d'une ville où l'on se croit chez soi, bien établi sur la terre des hommes, bat du pouls de la mer.

3

Nous habitons une planète errante. De temps à autre, grâce à l'avion elle nous montre son origine : une mare en relation avec la lune révèle des parentés cachées — mais j'en ai connu d'autres signes.

On survole de loin en loin, sur la côte du Sahara entre Cap Juby et Cisneros, des plateaux en forme de troncs de cône dont la largeur varie de quelques centaines de pas à une trentaine de kilomètres. Leur altitude, remarquablement uniforme, est de trois cents mètres. Mais, outre cette égalité de niveau, ils présentent les mêmes teintes, le même grain de leur sol, le même modelé de leur falaise. De même que les colonnes d'un temple, émergeant seules du sable, montrent encore les vestiges de la table qui s'est éboulée, ainsi ces piliers solitaires témoignent d'un vaste plateau qui les unissait autrefois.

Au cours des premières années de la ligne Casablanca-Dakar, à l'époque où le matériel était fragile, les pannes, les recherches et les sauvetages nous ont contraints d'atterrir souvent en dissidence. Or, le sable est trompeur : on le croit ferme et l'on s'enlise. Quant aux anciennes salines qui semblent présenter la rigidité de l'asphalte, et sonnent dur sous le talon, elles cèdent parfois sous le poids des roues. La blanche croûte de sel crève, alors, sur la puanteur d'un marais noir. Aussi choississions-nous, quand les circonstances le permettaient, les surfaces lisses de ces plateaux : elles ne dissimulaient jamais de pièges.

Cette garantie était due à la présence d'un sable résistant, aux grains lourds, amas énorme de minuscules coquillages. Intacts encore à la surface du plateau, on les découvrait qui se fragmentaient et s'aggloméraient, à mesure que l'on descendait le long d'une arête. Dans le dépôt le plus ancien, à la base du massif, ils constituaient déjà du calcaire pur.

Or, à l'époque de la captivité de Reine et Serre, camarades dont les dissidents s'étaient emparés, il se trouva qu'ayant atterri sur l'un de ces refuges, afin de déposer un messager maure, je cherchai avec lui, avant de le quitter, s'il était un chemin par où il pût descendre. Mais notre terrasse aboutissait, dans toutes les directions, à une falaise qui croulait, à la verticale, dans l'abîme, avec des plis de draperie. Toute évasion était impossible.

Et cependant, avant de décoller pour chercher ailleurs un autre terrain, je m'attardai ici. J'éprouvais une joie peut-être puérile à marquer de mes pas un territoire que nul jamais encore, bête ou homme, n'avait souillé. Aucun Maure n'eût pu se lancer à l'assaut de ce château fort. Aucun Européen, jamais, n'avait exploré ce territoire. J'arpentais un sable infiniment vierge. J'étais le premier à faire ruisseler, d'une main dans l'autre, comme un or précieux, cette poussière de coquillages. Le premier à troubler ce silence. Sur cette sorte de banquise polaire qui, de toute éternité, n'avait pas formé un seul brin d'herbe, j'étais, commme une semence apportée par les vents, le premier témoignage de la vie.

Une étoile luisait déjà et je la contemplai. Je songeai que cette surface blanche était restée offerte aux astres seuls depuis des centaines de milliers d'années. Nappe tendue immaculée sous le ciel pur. Et je reçus un coup au cœur, ainsi qu'au seuil d'une grande découverte, quand je découvris sur cette nappe, à quinze ou vingt mètres de moi, un caillou noir.

Je reposais sur trois cents mètres d'épaisseur de coquillages. L'assise énorme, tout entière, s'opposait, comme une preuve péremptoire, à la présence de toute pierre. Des silex dormaient peut-être dans les profondeurs souterraines, issus des lentes digestions du globe, mais quel miracle eût fait remonter l'un d'entre eux jusqu'à cette surface trop neuve ? Le cœur battant, je ramassai donc ma trouvaille : un caillou dur, noir, de la taille du poing, lourd comme du métal, et coulé en forme de larme.

Une nappe tendue sous un pommier ne peut recevoir que des pommes, une nappe tendue sous les étoiles ne peut recevoir que des poussières d'astres ; jamais aucun aérolithe n'avait montré avec une telle évidence son origine.

Et, tout naturellement, en levant la tête, je pensai que, du haut de ce pommier céleste, devaient avoir chu d'autres fruits. Je les retrouverais au point même de leur chute, puisque, depuis des centaines de milliers d'années, rien n'avait pu les déranger. Puisqu'ils ne se confondraient point avec d'autres matériaux. Et, aussitôt, je m'en fus en exploration pour vérifier mon hypothèse.

Elle se vérifia. Je collectionnai mes trouvailles à la cadence d'une pierre environ par hectare. Toujours cet aspect de lave pétrie. Toujours cette dureté de diamant noir. Et j'assistai ainsi, dans un raccourci saisissant, du haut de mon pluviomètre à étoiles, à cette lente averse de feu.

4

Mais le plus merveilleux était qu'il y eût là, debout sur le dos rond de la planète, entre ce linge aimanté et ces étoiles, une conscience d'homme dans laquelle cette pluie pût se réfléchir comme dans un miroir. Sur une assise de minéraux un songe est un miracle. Et je me souviens d'un songe...

Échoué ainsi une autre fois dans une région de sable épais, j'attendais l'aube. Les collines d'or offraient à la lune leur versant lumineux, et des versants d'ombre montaient jusqu'aux lignes de partage de la lumière. Sur ce chantier désert d'ombre et de lune, régnait une paix de travail suspendu, et aussi un silence de piège, au cœur duquel je m'endormis.

Quand je me réveillai, je ne vis rien que le bassin du ciel nocturne, car j'étais allongé sur une crête, les bras en croix et face à ce vivier d'étoiles. N'ayant pas compris encore quelles étaient ces profondeurs, je fus pris de vertige, faute d'une racine à quoi me retenir, faute d'un toit, d'une branche d'arbre entre ces profondeurs et moi, déjà délié, livré à la chute comme un plongeur.

Mais je ne tombai point. De la nuque aux talons, je me découvrais noué à la terre. J'éprouvais une sorte d'apaisement à lui abandonner mon poids. La gravitation m'apparaissait souveraine comme l'amour.

Je sentais la terre étayer mes reins, me soutenir, me soulever, me transporter dans l'espace nocturne. Je me découvrais appliqué à l'astre, par une pesée semblable à cette pesée des virages qui vous appliquent au char, je goûtais cet épaulement admirable, cette solidité, cette sécurité, et je devinais, sous mon corps, ce pont courbe de mon navire.

J'avais si bien conscience d'être emporté, que j'eusse entendu sans surprise monter du fond des terres, la plainte des matériaux qui se réajustent dans l'effort, ce gémissement des vieux voiliers qui prennent leur gîte, ce long cri aigre que font les péniches contrariées. Mais le silence durait dans l'épaisseur des terres. Mais cette pesée se révélait, dans mes épaules, harmonieuse, soutenue, égale pour l'éternité. J'habitais bien cette patrie, comme les corps des galériens morts, lestés de plomb, le fond des mers.

Et je méditai sur ma condition, perdu dans le désert et menacé, nu entre le sable et les étoiles, éloigné des pôles de ma vie par trop de silence. Car je savais que j'userais, à les rejoindre, des jours, des semaines, des mois, si nul avion ne me retrouvait, si les Maures, demain, ne me massacraient pas. Ici, je ne possédais plus rien au monde. Je n'étais rien qu'un mortel égaré entre du sable et des étoiles, conscient de la seule douceur de respirer...

Et cependant, je me découvris plein de songes.

Ils me vinrent sans bruit, comme des eaux de source, et je ne compris pas, tout d'abord, la douceur qui m'envahissait. Il n'y eut point de voix, ni d'images, mais le sentiment d'une présence, d'une amitié très proche et déjà à demi devinée. Puis, je compris et m'abandonnai, les yeux fermés, aux enchantements de ma mémoire.

Il était, quelque part, un parc chargé de sapins noirs et de tilleuls, et une vieille maison que j'aimais. Peu importait qu'elle fût éloignée ou proche, qu'elle ne pût ni me réchauffer dans ma chair ni m'abriter, réduite ici au rôle de songe : il suffisait qu'elle existât pour remplir ma nuit de sa présence. Je n'étais plus ce corps échoué sur une grève, je m'orientais, j'étais l'enfant de cette maison, plein du souvenir de ses odeurs, plein de la fraîcheur de ses vestibules, plein des voix qui l'avaient animée. Et jusqu'au chant des grenouilles dans les mares qui venait ici me rejoindre. J'avais besoin de ces mille repères pour me reconnaître moi-même, pour découvrir de quelles absences était fait le goût de ce désert, pour trouver un sens à ce silence fait de mille silences, où les grenouilles mêmes se taisaient.

Non, je ne logeais plus entre le sable et les étoiles. Je ne recevais plus du décor qu'un message froid. Et ce goût même d'éternité que j'avais cru tenir de lui, j'en découvrais maintenant l'origine. Je revoyais les grandes armoires

65

solennelles de la maison. Elles s'entrouvraient sur des piles de draps blancs comme neige. Elles s'entrouvraient sur des provisions glacées de neige. La vieille gouvernante trottait comme un rat de l'une à l'autre, toujours vérifiant, dépliant, repliant, recomptant le linge blanchi, s'écriant : « Ah! mon Dieu, quel malheur », à chaque signe d'une usure qui menaçait l'éternité de la maison, aussitôt courant se brûler les yeux sous quelque lampe, à réparer la trame de ces nappes d'autel, à ravauder ces voiles de trois-mâts, à servir je ne sais quoi de plus grand qu'elle, un Dieu ou un navire.

Ah! je te dois bien une page. Quand je rentrais de mes premiers voyages, mademoiselle, je te retrouvais l'aiguille à la main, noyée jusqu'aux genoux dans tes surplis blancs, et chaque année un peu plus ridée, un peu plus blanchie, préparant toujours de tes mains ces draps sans plis pour nos sommeils, ces nappes sans coutures pour nos dîners, ces fêtes de cristaux et de lumière. Je te visitais dans ta lingerie, je m'asseyais en face de toi, je te racontais mes périls de mort pour t'émouvoir, pour t'ouvrir les yeux sur le monde, pour te corrompre. Je n'avais guère changé, disais-tu. Enfant, je trouais déjà mes chemises. — Ah! quel malheur! — et je m'écorchais aux genoux ; puis je revenais à la maison pour me faire panser, comme ce soir. Mais non, mais non, mademoiselle! ce n'était plus du fond du parc que je rentrais, mais du bout du monde, et je ramenais avec moi l'odeur âcre des solitudes, le tourbillon des vents de sable, les lunes éclatantes des tropiques! Bien sûr, me disais-tu, les garçons courent, se rompent les os, et se croient très forts. Mais non, mais non, mademoiselle, j'ai vu plus loin que ce parc! Si tu savais comme ces ombrages sont peu de chose! Qu'ils semblent bien perdus parmi les sables, les granits, les forêts vierges, les marais de la terre. Sais-tu seulement qu'il est des territoires où les hommes, s'ils vous rencontrent, épaulent aussitôt leur carabine? Sais-tu même qu'il est des déserts où l'on dort, dans la nuit glacée, sans toit, mademoiselle, sans lit, sans draps...

« Ah! barbare », disais-tu.

Je n'entamais pas mieux sa foi que je n'eusse entamé la foi d'une servante d'église. Et je plaignais son humble destinée qui la faisait aveugle et sourde...

Mais cette nuit, dans le Sahara, nu entre le sable et les étoiles, je lui rendis justice.

Je ne sais pas ce qui se passe en moi. Cette pesanteur me lie au sol quand tant d'étoiles sont aimantées. Une autre pesanteur me ramène à moi-même. Je sens mon poids qui me tire vers tant de choses! Mes songes sont plus réels que ces dunes, que cette lune, que ces présences. Ah! le merveilleux d'une maison n'est point qu'elle vous abrite ou vous réchauffe, ni qu'on en possède les murs. Mais bien qu'elle ait lentement déposé en nous ces provisions de douceur. Qu'elle forme, dans le fond du cœur, ce massif obscur dont naissent, comme des eaux de source, les songes...

Mon Sahara, mon Sahara, te voilà tout entier enchanté par une fileuse de laine!

V

OASIS

Je vous ai tant parlé du désert qu'avant d'en parler encore, j'aimerais décrire une oasis. Celle dont me revient l'image n'est point perdue au fond du Sahara. Mais un autre miracle de l'avion est qu'il vous plonge directement au cœur du mystère. Vous étiez ce biologiste étudiant, derrière le hublot, la fourmilière humaine, vous considériez d'un cœur sec ces villes assises dans leur plaine, au centre de leurs routes qui s'ouvrent en étoile, et les nourrissent, ainsi que des artères, du suc des champs. Mais une aiguille a tremblé sur un manomètre, et cette touffe verte, là en bas, est devenue un univers. Vous êtes prisonnier d'une pelouse dans un parc endormi.

Ce n'est pas la distance qui mesure l'éloignement. Le mur d'un jardin de chez nous peut enfermer plus de secrets que le mur de Chine, et l'âme d'une petite fille est mieux protégée par le silence que ne le sont, par l'épaisseur des sables, les oasis sahariennes.

Je raconterai une courte escale quelque part dans le monde. C'était près de Concordia, en Argentine, mais c'eût pu être partout ailleurs : le mystère est ainsi répandu.

J'avais atterri dans un champ, et je ne savais point que j'allais vivre un conte de fées. Cette vieille Ford dans laquelle je roulais n'offrait rien de particulier, ni ce ménage paisible qui m'avait recueilli.

« Nous vous logerons pour la nuit... »

Mais à un tournant de la route, se développa, au clair de lune, un bouquet d'arbres, et, derrière ces arbres, cette maison. Quelle étrange maison! Trapue, massive, presque une citadelle. Château de légende qui offrait, dès le porche franchi, un abri aussi paisible, aussi sûr, aussi protégé qu'un monastère.

Alors apparurent deux jeunes filles. Elles me dévisagèrent gravement, comme deux juges postés au seuil d'un royaume interdit : la plus jeune fit une moue et tapota le sol d'une baguette de bois vert, puis, les présentations faites, elles me tendirent la main sans un mot, avec un air de curieux défi, et disparurent.

J'étais amusé et charmé aussi. Tout cela était simple, silencieux et furtif comme le premier mot d'un secret.

— Eh! Eh! Elles sont sauvages, dit simplement le père.

Et nous entrâmes.

J'aimais, au Paraguay, cette herbe ironique qui montre le nez entre les pavés de la capitale, qui, de la part de la forêt vierge invisible, mais présente, vient voir si les hommes tiennent toujours la ville, si l'heure n'est pas venue de bousculer un peu toutes ces pierres. J'aimais cette forme de délabrement qui n'exprime qu'une trop grande richesse. Mais ici je fus émerveillé.

Car tout y était délabré, et adorablement, à la façon d'un veil arbre couvert de mousse que l'âge a un peu craquelé, à la façon du banc de bois où les amoureux vont s'asseoir depuis une dizaine de générations. Les boiseries étaient usées, les vantaux rongés, les chaises bancales. Mais si l'on ne réparait rien, on nettoyait ici, avec ferveur. Tout était propre, ciré, brillant.

Le salon en prenait un visage d'une intensité extraordinaire comme celui d'une vieille qui porte des rides. Craquelures des murs, déchirures du plafond, j'admirais tout, et, par-dessus tout, ce parquet effondré ici, branlant là, comme une passerelle, mais toujours astiqué, verni, lustré. Curieuse maison, elle n'évoquait aucune négligence, aucun laisser-aller, mais un extraordinaire respect. Chaque année ajoutait, sans doute, quelque chose à son charme, à la complexité de son visage, à la ferveur de son atmosphère amicale, comme d'ailleurs aux dangers du voyage qu'il fallait entreprendre pour passer du salon à la salle à manger.

— Attention!

C'était un trou. On me fit remarquer que dans un trou pareil je me fusse aisément rompu les jambes. Ce trou, personne n'en était responsable : c'était l'œuvre du temps. Il avait une allure très grand seigneur, ce souverain mépris pour toute excuse. On ne me disait pas : « Nous pourrions boucher tous ces trous, nous sommes riches, mais... » On ne me disait pas non plus — ce qui était pourtant la vérité : « Nous louons ça à la ville pour trente ans. C'est à elle de réparer. Chacun s'entête... » On dédaignait les explications, et tant d'aisance m'enchantait. Tout au plus me fit-on remarquer :

— Eh! Eh! c'est un peu délabré...

Mais cela d'un ton si léger que je soupçonnais mes amis de ne point trop s'en attrister. Voyez-vous une équipe de maçons, de charpentiers, d'ébénistes, de plâtriers étaler dans un tel passé leur outillage sacrilège, et vous refaire dans les huit jours une maison que vous n'aurez jamais connue, où vous vous croirez en visite ? Une maison sans mystères, sans recoins, sans trappes sous les pieds, sans oubliettes — une sorte de salon d'hôtel de ville ?

C'était tout naturellement qu'avaient disparu les jeunes filles dans cette maison à escamotages. Que devaient être les greniers, quand le salon déjà contenait les richesses d'un grenier! Quand on y devinait déjà que, du moindre placard entrouvert, crouleraient des liasses de lettres jaunes, des quittances de l'arrière-grand-père, plus de clefs qu'il n'existe de serrures dans la maison, et dont naturellement aucune ne s'adapterait à aucune serrure. Clefs merveilleusement inutiles, qui confondent la raison, et qui font rêver à des souterrains, à des coffrets enfouis, à des louis d'or.

— Passons à table, voulez-vous ?

Nous passions à table. Je respirais d'une pièce à l'autre, répandue comme un encens, cette odeur de vieille bibliothèque qui vaut tous les parfums du monde. Et surtout j'aimais le transport des lampes. De vraies lampes lourdes, que l'on charriait d'une pièce à l'autre, comme aux temps les plus profonds de mon enfance, et qui remuaient aux murs des ombres merveilleuses. On soulevait en elles des bouquets de lumière et de palmes noires. Puis, une fois les lampes bien en place, s'immobilisaient les plages de clarté, et ces vastes réserves de nuit tout autour, où craquaient les bois.

Les deux jeunes filles réapparurent aussi mystérieusement, aussi silencieusement qu'elles s'étaient évanouies. Elles s'assirent à table avec gravité. Elles avaient sans doute nourri leurs chiens, leurs oiseaux, ouvert leurs fenêtres à la nuit claire, et goûté dans le vent du soir l'odeur des plantes. Maintenant, dépliant leur serviette, elles me surveillaient du coin de l'œil, avec prudence, se demandant si elles me rangeraient ou non au nombre de leurs animaux familiers. Car elles possédaient aussi un iguane, une mangouste, un renard, un singe et des abeilles. Tout cela vivant pêle-mêle, s'entendant à merveille, composant un nouveau paradis terrestre. Elles régnaient sur tous les animaux de la création, les charmant de leurs petites mains, les nourrissant, les abreuvant, et leur racontant des histoires que, de la mangouste aux abeilles, ils écoutaient.

Et je m'attendais bien à voir deux jeunes filles si vives mettre tout leur esprit critique, toute leur finesse, à porter sur leur vis-à-vis masculin, un jugement rapide, secret et définitif. Dans mon enfance, mes sœurs attribuaient ainsi des notes aux invités qui, pour la première fois, honoraient notre table. Et, lorsque la conversation tombait, on entendait soudain, dans le silence, retentir un : « Onze! » dont personne, sauf mes sœurs et moi, ne goûtait le charme.

Mon expérience de ce jeu me troublait un

peu. Et j'étais d'autant plus gêné de sentir mes juges si avertis. Juges qui savaient distinguer les bêtes qui trichent des bêtes naïves, qui savaient lire au pas de leur renard s'il était ou non d'humeur abordable, qui possédaient une aussi profonde connaissance des mouvements intérieurs.

J'aimais ces yeux si aiguisés et ces petites âmes si droites, mais j'aurais tellement préféré qu'elles changeassent de jeu. Bassement pourtant et par peur du « onze » je leur tendais le sel, je leur versais le vin, mais je retrouvais, en levant les yeux, leur douce gravité de juges que l'on n'achète pas.

La flatterie même eût été vaine : elles ignoraient la vanité. La vanité, mais non le bel orgueil, et pensaient d'elles, sans mon aide, plus de bien que je n'en aurais osé dire. Je ne songeais même pas à tirer prestige de mon métier, car il est autrement audacieux de se hisser jusqu'aux dernières branches d'un platane et cela, simplement, pour contrôler si la nichée d'oiseaux prend bien ses plumes, pour dire bonjour aux amis.

Et mes deux fées silencieuses surveillaient toujours si bien mon repas, je rencontrais si souvent leur regard furtif, que j'en cessai de parler. Il se fit un silence et pendant ce silence quelque chose siffla légèrement sur le parquet, bruissa sous la table, puis se tut. Je levai des yeux intrigués. Alors, sans doute satisfaite de son examen, mais usant de la dernière pierre de touche, et mordant dans son pain de ses jeunes dents sauvages, la cadette m'expliqua simplement, avec une candeur dont elle espérait bien, d'ailleurs, stupéfier le barbare, si toutefois j'en étais un :

— C'est les vipères.

Et se tut, satisfaite, comme si l'explication eût dû suffire à quiconque n'était pas trop sot. Sa sœur glissa un coup d'œil en éclair pour juger mon premier mouvement, et toutes deux penchèrent vers leur assiette le visage le plus doux et le plus ingénu du monde.

— Ah!... C'est les vipères...

Naturellement ces mots m'échappèrent. Ça avait glissé dans mes jambes, ça avait frôlé mes mollets, et c'étaient des vipères...

Heureusement pour moi je souris. Et sans contrainte : elles l'eussent senti. Je souris parce que j'étais joyeux, parce que cette maison, décidément, à chaque minute me plaisait plus; et parce que aussi j'éprouvais le désir d'en savoir plus long sur les vipères. L'aînée me vint en aide :

— Elles ont leur nid dans un trou, sous la table.

— Vers dix heures du soir elles rentrent, ajouta la sœur. Le jour, elles chassent.

A mon tour, à la dérobée, je regardai ces jeunes filles. Leur finesse, leur rire silencieux derrière le paisible visage. Et j'admirais cette royauté qu'elles exerçaient...

Aujourd'hui, je rêve. Tout cela est bien lointain. Que sont devenues ces deux fées? Sans doute se sont-elles mariées. Mais alors ont-elles changé? Il est si grave de passer de l'état de jeune fille à l'état de femme. Que font-elles dans une maison neuve? Que sont devenues leurs relations avec les herbes folles et les serpents?

74

Elles étaient mêlées à quelque chose d'universel. Mais un jour vient où la femme s'éveille dans la jeune fille. On rêve de décerner enfin un dix-neuf. Un dix-neuf pèse au fond du cœur. Alors un imbécile se présente. Pour la première fois des yeux si aiguisés se trompent et l'éclairent de belles couleurs. L'imbécile, s'il dit des vers, on le croit poète. On croit qu'il comprend les parquets troués, on croit qu'il aime les mangoustes. On croit que cette confiance le flatte, d'une vipère qui se dandine, sous la table, entre ses jambes. On lui donne son cœur qui est un jardin sauvage, à lui qui n'aime que les parcs soignés. Et l'imbécile emmène la princesse en esclavage.

VI

DANS LE DÉSERT

1

De telles douceurs nous étaient interdites quand, pour des semaines, des mois, des années, nous étions, pilotes de ligne du Sahara, prisonniers des sables, naviguant d'un fortin à l'autre, sans revenir. Ce désert n'offrait point d'oasis semblable : jardins et jeunes filles, quelles légendes ! Bien sûr, très loin, là où notre travail une fois achevé nous pourrions revivre, mille jeunes filles nous attendaient. Bien sûr, là-bas, parmi leurs mangoustes ou leurs livres, elles se composaient avec patience des âmes savoureuses. Bien sûr, elles embellissaient...

Mais je connais la solitude. Trois années de désert m'en ont bien enseigné le goût. On ne s'y effraie point d'une jeunesse qui s'use dans un paysage minéral, mais il y apparaît que, loin de soi, c'est le monde entier qui vieillit. Les arbres ont formé leurs fruits, les terres ont sorti leur blé, les femmes déjà sont belles. Mais la saison avance, il faudrait se hâter de rentrer... Mais la saison avance et l'on est retenu au loin... Et les biens de la terre glissent entre les doigts comme le sable fin des dunes.

L'écoulement du temps, d'ordinaire, n'est pas

ressenti par les hommes. Ils vivent dans une paix provisoire. Mais voici que nous l'éprouvions, une fois l'escale gagnée, quand pesaient sur nous ces vents alizés, toujours en marche. Nous étions semblables à ce voyageur du rapide, plein du bruit des essieux qui battent dans la nuit, et qui devine, aux poignées de lumière qui, derrière la vitre, sont dilapidées, le ruissellement des campagnes, de leurs villages, de leurs domaines enchantés, dont il ne peut rien tenir puisqu'il est en voyage. Nous aussi, animés d'une fièvre légère, les oreilles sifflantes encore du bruit du vol, nous nous sentions en route, malgré le calme de l'escale. Nous nous découvrions, nous aussi, emportés vers un avenir ignoré, à travers la pensée des vents, par les battements de nos cœurs.

La dissidence ajoutait au désert. Les nuits de Cap Juby, de quart d'heure en quart d'heure, étaient coupées comme par le gong d'une horloge : les sentinelles, de proche en proche, s'alertaient l'une l'autre par un grand cri réglementaire. Le fort espagnol de Cap Juby, perdu en dissidence, se gardait ainsi contre des menaces qui ne montraient point leur visage. Et nous, les passagers de ce vaisseau aveugle, nous écoutions l'appel s'enfler de proche en proche, et décrire sur nous des orbes d'oiseaux de mer.

Et cependant, nous avons aimé le désert.

S'il n'est d'abord que vide et que silence, c'est qu'il ne s'offre point aux amants d'un jour. Un simple village de chez nous déjà se dérobe. Si nous ne renonçons pas, pour lui, au reste du monde, si nous ne rentrons pas dans ses traditions, dans ses coutumes, dans ses rivalités, nous ignorons tout de la patrie qu'il compose pour quelques-uns. Mieux encore, à deux pas de nous, l'homme qui s'est muré dans son cloître, et vit selon des règles qui nous sont inconnues, celui-là émerge véritablement dans des solitudes tibétaines, dans un éloignement où nul avion ne nous déposera jamais. Qu'allons-nous visiter sa cellule! Elle est vide. L'empire de l'homme est intérieur. Ainsi le désert n'est point fait de sable, ni de Touareg, ni de Maures même armés d'un fusil...

Mais voici qu'aujourd'hui nous avons éprouvé la soif. Et ce puits que nous connaissions, nous découvrons, aujourd'hui seulement, qu'il rayonne sur l'étendue. Une femme invisible peut enchanter ainsi toute une maison. Un puits porte loin, comme l'amour.

Les sables sont d'abord déserts, puis vient le jour où, craignant l'approche d'un rezzou, nous y lisons les plis du grand manteau dont il s'enveloppe. Le rezzou aussi transfigure les sables.

Nous avons accepté la règle du jeu, le jeu nous forme à son image. Le Sahara, c'est en nous qu'il se montre. L'aborder ce n'est point visiter l'oasis, c'est faire notre religion d'une fontaine.

2

Dès mon premier voyage, j'ai connu le goût du désert. Nous nous étions échoués, Riguelle,

Guillaumet et moi, auprès du fortin de Nouat-chott. Ce petit poste de Mauritanie était alors aussi isolé de toute vie qu'un îlot perdu en mer. Un vieux sergent y vivait enfermé avec ses quinze Sénégalais. Il nous reçut comme des envoyés du ciel :

— Ah! ça me fait quelque chose de vous parler... Ah! ça me fait quelque chose!

Ça lui faisait quelque chose : il pleurait.

— Depuis six mois, vous êtes les premiers. C'est tous les six mois qu'on me ravitaille. Tantôt c'est le lieutenant. Tantôt c'est le capitaine.

Nous nous sentions encore abasourdis. A deux heures de Dakar, où le déjeuner se prépare, l'embiellage saute, et l'on change de destinée. On joue le rôle d'apparition auprès d'un vieux sergent qui pleure.

— Ah! buvez, ça me fait plaisir d'offrir du vin! Pensez un peu! quand le capitaine est passé, je n'en avais plus pour le capitaine.

J'ai raconté ça dans un livre, mais ce n'était point du roman. Il nous a dit :

— La dernière fois, je n'ai même pas pu trinquer... Et j'ai eu tellement honte que j'ai demandé ma relève.

Trinquer! Trinquer un grand coup avec l'autre, qui saute à bas du méhari, ruisselant de sueur! Six mois durant on avait vécu pour cette minute-là. Depuis un mois déjà on astiquait les armes, on fourbissait le poste de la soute au grenier. Et déjà, depuis quelques jours, sentant l'approche du jour béni, on surveillait, du haut de la terrasse, inlassablement, l'horizon, afin d'y découvrir cette poussière, dont s'enveloppera, quand il apparaîtra, le peloton mobile d'Atar...

Mais le vin manque : on ne peut célébrer la fête. On ne trinque pas. On se découvre déshonoré...

— J'ai hâte qu'il revienne. Je l'attends...

— Où est-il, sergent ?

Et le sergent, montrant les sables :

— On ne sait pas, il est partout, le capitaine !

Elle fut réelle aussi, cette nuit passée sur la terrasse du fortin, à parler des étoiles. Il n'était rien d'autre à surveiller. Elles étaient là, bien au complet, comme en avion, mais stables.

En avion, quand la nuit est trop belle, on se laisse aller, on ne pilote plus guère, et l'avion peu à peu s'incline sur la gauche. On le croit encore horizontal quand on découvre sous l'aile droite un village. Dans le désert il n'est point de village. Alors une flottille de pêche en mer. Mais au large du Sahara, il n'est point de flottille de pêche. Alors ? Alors on sourit de l'erreur. Doucement, on redresse l'avion. Et le village reprend sa place. On raccroche à la panoplie la constellation que l'on avait laissée tomber. Village ? Oui. Village d'étoiles. Mais, du haut du fortin, il n'est qu'un désert comme gelé, des vagues de sable sans mouvement. Des constellations bien accrochées. Et le sergent nous parle d'elles :

— Allez ! Je connais bien mes directions... Cap sur cette étoile, droit sur Tunis !

— Tu es de Tunis ?

— Non. Ma cousine.

Il se fait un très long silence. Mais le sergent n'ose rien nous cacher :

— Un jour, j'irai à Tunis.

Certes, par un autre chemin qu'en marchant droit sur cette étoile. A moins qu'un jour d'expédition un puits tari ne le livre à la poésie du délire. Alors l'étoile, la cousine et Tunis se confondront. Alors commencera cette marche inspirée, que les profanes croient douloureuse.

— J'ai demandé une fois au capitaine une permission pour Tunis, rapport à cette cousine. Et il m'a répondu...

— Et il t'a répondu ?

— Et il m'a répondu : « C'est plein de cousines, le monde. » Et, comme c'était moins loin, il m'a envoyé à Dakar.

— Elle était belle, ta cousine ?

— Celle de Tunis ? Bien sûr. Elle était blonde.

— Non, celle de Dakar ?

Sergent, nous t'aurions embrassé pour ta réponse un peu dépitée et mélancolique :

— Elle était nègre...

Le Sahara pour toi, sergent ? C'était un dieu perpétuellement en marche vers toi. C'était aussi la douceur d'une cousine blonde derrière cinq mille kilomètres de sable.

Le désert pour nous ? C'était ce qui naissait en nous. Ce que nous apprenions sur nous-mêmes. Nous aussi, cette nuit-là, nous étions amoureux d'une cousine et d'un capitaine...

3

Situé à la lisière des territoires insoumis, Port-Étienne n'est pas une ville. On y trouve un fortin, un hangar et une baraque de bois pour les équipages de chez nous. Le désert, autour, est si absolu que, malgré ses faibles ressources militaires, Port-Étienne est presque invincible. Il faut franchir, pour l'attaquer, une telle ceinture de sable et de feu que les rezzous ne peuvent l'atteindre qu'à bout de forces, après épuisement des provisions d'eau. Pourtant, de mémoire d'homme, il y a toujours eu, quelque part dans le Nord, un rezzou en marche sur Port-Étienne. Chaque fois que le capitaine-gouverneur vient boire chez nous un verre de thé, il nous montre sa marche sur les cartes, comme on raconte la légende d'une belle princesse. Mais ce rezzou n'arrive jamais, tari par le sable même, comme un fleuve, et nous l'appelons le rezzou fantôme. Les grenades et les cartouches, que le gouvernement nous distribue le soir, dorment au pied de nos lits dans leurs caisses. Et nous n'avons point à lutter contre d'autre ennemi que le silence, protégés avant tout par notre misère. Et Lucas, chef d'aéroport, fait, nuit et jour, tourner le gramophone qui, si loin de la vie, nous parle un langage à demi perdu, et provoque une mélancolie sans objet qui ressemble curieusement à la soif.

Ce soir, nous avons dîné au fortin et le capitaine-gouverneur nous a fait admirer son jardin. Il a, en effet, reçu de France trois caisses pleines de terre véritable, qui ont ainsi franchi quatre mille kilomètres. Il y pousse trois feuilles vertes, et nous les caressons du doigt comme des bijoux. Le capitaine, quand il en parle, dit :

« C'est mon parc. » Et quand souffle le vent de sable, qui sèche tout, on descend le parc à la cave.

Nous habitons à un kilomètre du fort, et rentrons chez nous sous le clair de lune, après le dîner. Sous la lune le sable est rose. Nous sentons notre dénuement, mais le sable est rose. Mais un appel de sentinelle rétablit dans le monde le pathétique. C'est tout le Sahara qui s'effraie de nos ombres, et qui nous interroge, parce qu'un rezzou est en marche.

Dans le cri de la sentinelle toutes les voix du désert retentissent. Le désert n'est plus une maison vide : une caravane maure aimante la nuit.

Nous pourrions nous croire en sécurité. Et cependant! Maladie, accident, rezzou, combien de menaces cheminent! L'homme est cible sur terre pour des tireurs secrets. Mais la sentinelle sénégalaise, comme un prophète, nous le rappelle.

Nous répondons : « Français! » et passons devant l'ange noir. Et nous respirons mieux. Quelle noblesse nous a rendue cette menace... Oh! si lointaine encore, si peu urgente, si bien amortie par tant de sable : mais le monde n'est plus le même. Il redevient somptueux, ce désert. Un rezzou en marche quelque part, et qui n'aboutira jamais, fait sa divinité.

Il est maintenant onze heures du soir. Lucas revient du poste radio, et m'annonce, pour minuit, l'avion de Dakar. Tout va bien à bord. Dans mon avion, à minuit dix, on aura transbordé le courrier, et je décollerai pour le Nord. Devant une glace ébréchée, je me rase attentivement. De temps à autre, la serviette éponge autour du cou, je vais jusqu'à la porte et regarde le sable nu : il fait beau, mais le vent tombe. Je reviens au miroir. Je songe. Un vent établi pour des mois, s'il tombe, dérange parfois tout le ciel. Et maintenant, je me harnache : mes lampes de secours nouées à ma ceinture, mon altimètre, mes crayons. Je vais jusqu'à Néri qui sera cette nuit mon radio de bord. Il se rase aussi. Je lui dis : « Ça va ? » Pour le moment ça va. Cette opération préliminaire est la moins difficile du vol. Mais j'entends un grésillement, une libellule bute contre ma lampe. Sans que je sache pourquoi, elle me pince le cœur.

Je sors encore et je regarde : tout est pur. Une falaise qui borde le terrain tranche sur le ciel comme s'il faisait jour. Sur le désert règne un grand silence de maison en ordre. Mais voici qu'un papillon vert et deux libellules cognent ma lampe. Et j'éprouve de nouveau un sentiment sourd, qui est peut-être de la joie, peut-être de la crainte, mais qui vient du fond de moi-même, encore très obscur, qui, à peine, s'annonce. Quelqu'un me parle de très loin. Est-ce cela l'instinct ? Je sors encore : le vent est tout à fait tombé. Il fait toujours frais. Mais j'ai reçu un avertissement. Je devine, je crois deviner ce que j'attends : ai-je raison ? Ni le ciel ni le sable ne m'ont fait aucun signe, mais deux libellules m'ont parlé, et un papillon vert.

Je monte sur une dune et m'assois face à l'est. Si j'ai raison « ça » ne va pas tarder longtemps. Que chercheraient-elles ici, ces libellules, à des centaines de kilomètres des oasis de l'intérieur ?

De faibles débris charriés aux plages prouvent qu'un cyclone sévit en mer. Ainsi ces insectes me montrent qu'une tempête de sable est en marche ; une tempête d'est, et qui a dévasté les palmeraies lointaines de leurs papillons verts. Son écume déjà m'a touché. Et solennel, puisqu'il est une preuve, et solennel, puisqu'il est une menace lourde, et solennel, puisqu'il contient une tempête, le vent d'est monte. C'est à peine si m'atteint son faible soupir. Je suis la borne extrême que lèche la vague. A vingt mètres derrière moi, aucune toile n'eût remué. Sa brûlure m'a enveloppé une fois, une seule, d'une caresse qui semblait morte. Mais je sais bien, pendant les secondes qui suivent, que le Sahara reprend son souffle et va pousser son second soupir. Et qu'avant trois minutes la manche à air de notre hangar va s'émouvoir. Et qu'avant dix minutes le sable remplira le ciel. Tout à l'heure nous décollerons dans ce feu, ce retour de flammes du désert.

Mais ce n'est pas ce qui m'émeut. Ce qui me remplit d'une joie barbare, c'est d'avoir compris à demi-mot un langage secret, c'est d'avoir flairé une trace comme un primitif, en qui tout l'avenir s'annonce par de faibles rumeurs, c'est d'avoir lu cette colère aux battements d'ailes d'une libellule.

4

Nous étions là-bas en contact avec les Maures insoumis. Ils émergeaient du fond des territoires interdits, ces territoires que nous franchissions dans nos vols ; ils se hasardaient aux fortins de Juby ou de Cisneros pour y faire l'achat de

pains de sucre ou de thé, puis ils se renfon-
çaient dans leur mystère. Et nous tentions, à leur
passage, d'apprivoiser quelques-uns d'entre eux.

Quand il s'agissait de chefs influents, nous
les chargions parfois à bord, d'accord avec la
direction des lignes, afin de leur montrer le
monde. Il s'agissait d'éteindre leur orgueil, car
c'était par mépris, plus encore que par haine,
qu'ils assassinaient les prisonniers. S'ils nous
croisaient aux abords des fortins, ils ne nous
injuriaient même pas. Ils se détournaient de
nous et crachaient. Et cet orgueil, ils le tiraient
de l'illusion de leur puissance. Combien d'entre
eux m'ont répété, ayant dressé sur pied de
guerre une armée de trois cents fusils : « Vous
avez de la chance, en France, d'être à plus de
cent jours de marche... »

Nous les promenions donc, et il se fit que
trois d'entre eux visitèrent ainsi cette France
inconnue. Ils étaient de la race de ceux qui,
m'ayant une fois accompagné au Sénégal,
pleurèrent de découvrir des arbres.

Quand je les retrouvai sous leurs tentes, ils
célébraient les music-halls, où les femmes nues
dansent parmi les fleurs. Voici des hommes qui
n'avaient jamais vu un arbre ni une fontaine, ni
une rose, qui connaissaient, par le Coran seul,
l'existence de jardins où coulent des ruisseaux
puisqu'il nomme ainsi le paradis. Ce paradis
et ses belles captives, on le gagne par la mort
amère sur le sable, d'un coup de fusil d'infidèle, après trente années de misère. Mais Dieu
les trompe, puisqu'il n'exige des Français,
auxquels sont accordés tous ces trésors, ni la
rançon de la soif ni celle de la mort. Et c'est

pourquoi ils rêvent, maintenant, les vieux chefs. Et c'est pourquoi, considérant le Sahara qui s'étend, désert, autour de leur tente, et jusqu'à la mort leur proposera de si maigres plaisirs, ils se laissent aller aux confidences.

« Tu sais... le Dieu des Français... Il est plus généreux pour les Français que le Dieu des Maures pour les Maures! »

Quelques semaines auparavant, on les promenait en Savoie. Leur guide les a conduits en face d'une lourde cascade, une sorte de colonne tressée, et qui grondait :

— Goûtez, leur a-t-il dit.

Et c'était de l'eau douce. L'eau! Combien faut-il de jours de marche, ici, pour atteindre le puits le plus proche et, si on le trouve, combien d'heures, pour creuser le sable dont il est rempli, jusqu'à une boue mêlée d'urine de chameau! L'eau! A Cap Juby, à Cisneros, à Port-Étienne, les petits des Maures ne quêtent pas l'argent, mais une boîte de conserves en main, ils quêtent l'eau :

— Donne un peu d'eau, donne...

— Si tu es sage.

L'eau qui vaut son poids d'or, l'eau dont la moindre goutte tire du sable l'étincelle verte d'un brin d'herbe. S'il a plu quelque part, un grand exode anime le Sahara. Les tribus montent vers l'herbe qui poussera trois cents kilomètres plus loin... Et cette eau, si avare, dont il n'était pas tombé une goutte à Port-Étienne, depuis dix ans, grondait là-bas, comme si, d'une citerne crevée, se répandaient les provisions du monde.

— Repartons, leur disait leur guide.

Mais ils ne bougeaient pas :

— Laisse-nous encore...

Ils se taisaient, ils assistaient graves, muets, à ce déroulement d'un mystère solennel. Ce qui coulait ainsi, hors du ventre de la montagne. c'était la vie, c'était le sang même des hommes. Le débit d'une seconde eût ressuscité des caravanes entières, qui, ivres de soif, s'étaient enfoncées, à jamais, dans l'infini des lacs de sel et des mirages. Dieu, ici, se manifestait : on ne pouvait pas lui tourner le dos. Dieu ouvrait ses écluses et montrait sa puissance : les trois Maures demeuraient immobiles.

— Que verrez-vous de plus ? Venez...

— Il faut attendre.

— Attendre quoi ?

— La fin.

Ils voulaient attendre l'heure où Dieu se fatiguerait de sa folie. Il se repent vite, il est avare.

— Mais cette eau coule depuis mille ans !...

Aussi, ce soir, n'insistent-ils pas sur la cascade. Il vaut mieux taire certains miracles. Il vaut même mieux n'y pas trop songer, sinon l'on ne comprend plus rien. Sinon, l'on doute de Dieu...

— Le Dieu des Français, vois-tu...

Mais je les connais bien, mes amis barbares. Ils sont là, troublés dans leur foi, déconcertés, et désormais si près de se soumettre. Ils rêvent d'être ravitaillés en orge par l'intendance française, et assurés dans leur sécurité par nos troupes sahariennes. Et il est vrai qu'une fois soumis ils auront gagné en biens matériels.

Mais ils sont tous trois du sang d'El Mammoun, émir des Trarza. (Je crois faire erreur sur son nom.)

J'ai connu celui-là quand il était notre vassal. Admis aux honneurs officiels pour les services rendus, enrichi par les gouverneurs et respecté par les tribus, il ne lui manquait rien, semble-t-il, des richesses visibles. Mais une nuit, sans qu'un signe l'ait fait prévoir, il massacra les officiers qu'il accompagnait dans le désert, s'empara des chameaux, des fusils, et rejoignit les tribus insoumises.

On nomme trahisons ces révoltes soudaines, ces fuites, à la fois héroïques et désespérées, d'un chef désormais proscrit dans le désert, cette courte gloire qui s'éteindra bientôt, comme une fusée, sur le barrage du peloton mobile d'Atar. Et l'on s'étonne de ces coups de folie.

Et cependant l'histoire d'El Mammoun fut celle de beaucoup d'autres Arabes. Il vieillissait. Lorsque l'on vieillit, on médite. Ainsi découvrit-il un soir qu'il avait trahi le Dieu de l'Islam et qu'il avait sali sa main en scellant, dans la main des chrétiens, un échange où il perdait tout.

Et, en effet, qu'importaient pour lui l'orge et la paix ? Guerrier déchu et devenu pasteur, voilà qu'il se souvient d'avoir habité un Sahara où chaque pli du sable était riche des menaces qu'il dissimulait, où le campement, avancé dans la nuit, détachait à sa pointe des veilleurs, où les nouvelles qui racontaient les mouvements des ennemis, faisaient battre les cœurs autour des feux nocturnes. Il se souvient d'un goût de pleine mer qui, s'il a été une fois savouré par l'homme, n'est jamais oublié.

Voici qu'aujourd'hui il erre sans gloire dans une étendue pacifiée vidée de tout prestige. Aujourd'hui seulement le Sahara est un désert.

Les officiers qu'il assassinera, peut-être les vénérait-il. Mais l'amour d'Allah passe d'abord.

— Bonne nuit, El Mammoun.

— Que Dieu te protège!

Les officiers se roulent dans leurs couvertures, allongés sur le sable, comme sur un radeau, face aux astres. Voici toutes les étoiles qui tournent lentement, un ciel entier qui marque l'heure. Voici la lune qui penche vers les sables, ramenée au néant, par Sa Sagesse. Les chrétiens bientôt vont s'endormir. Encore quelques minutes et les étoiles seules luiront. Alors, pour que les tribus abâtardies soient rétablies dans leur splendeur passée, alors pour que reprennent ces poursuites, qui seules font rayonner les sables, il suffira du faible cri de ces chrétiens que l'on noiera dans leur propre sommeil... Encore quelques secondes et, de l'irréparable, naîtra un monde...

Et l'on massacre les beaux lieutenants endormis.

5

A Juby, aujourd'hui, Kemal et son frère Mouyane m'ont invité, et je bois le thé sous leur tente. Mouyane me regarde en silence, et conserve, le voile bleu tiré sur les lèvres, une réserve sauvage. Kemal seul me parle et fait les honneurs :

— Ma tente, mes chameaux, mes femmes, mes esclaves sont à toi.

Mouyane, toujours sans me quitter des yeux, se penche vers son frère, prononce quelques mots, puis il rentre dans son silence.

— Que dit-il ?

— Il dit : « Bonnafous a volé mille chameaux aux R'Gueïbat. »

Ce capitaine Bonnafous, officier méhariste des pelotons d'Atar, je ne le connais pas. Mais je connais sa grande légende à travers les Maures. Ils parlent de lui avec colère, mais comme d'une sorte de dieu. Sa présence donne son prix au sable. Il vient de surgir aujourd'hui encore, on ne sait comment, à l'arrière des rezzous qui marchaient vers le sud, volant leurs chameaux par centaines, les obligeant, pour sauver leurs trésors qu'ils croyaient en sécurité, à se rabattre contre lui. Et maintenant, ayant sauvé Atar par cette apparition d'archange, ayant assis son campement sur une haute table calcaire, il demeure là tout droit, comme un gage à saisir, et son rayonnement est tel qu'il oblige les tribus à se mettre en marche vers son glaive.

Mouyane me regarde plus durement et parle encore.

— Que dit-il ?

— Il dit : « Nous partirons demain en rezzou contre Bonnafous. Trois cents fusils. »

J'avais bien deviné quelque chose. Ces chameaux que l'on mène au puits depuis trois jours, ces palabres, cette ferveur. Il semble que l'on grée un voilier invisible. Et le vent du large, qui l'emportera, déjà circule. A cause de Bonnafous chaque pas vers le sud devient un pas riche de gloire. Et je ne sais plus départager ce que de tels départs contiennent de haine ou d'amour.

Il est somptueux de posséder au monde un si bel ennemi à assassiner. Là où il surgit, les tribus proches plient leurs tentes, rassemblent leurs chameaux et fuient, tremblant de le rencontrer face à face, mais les tribus les plus lointaines sont prises du même vertige que dans l'amour. On s'arrache à la paix des tentes, aux étreintes des femmes, au sommeil heureux, on découvre que rien au monde ne vaudrait, après deux mois de marche épuisante vers le sud, de soif brûlante, d'attentes accroupies sous les vents de sable, de tomber, par surprise, à l'aube, sur le peloton mobile d'Atar, et là, si Dieu permet, d'assassiner le capitaine Bonnafous.

— Bonnafous est fort, m'avoue Kemal.

Je sais maintenant leur secret. Comme ces hommes qui désirent une femme, rêvent à son pas indifférent de promenade, et se tournent et se retournent toute la nuit, blessés, brûlés, par la promenade indifférente qu'elle poursuit dans leur songe, le pas lointain de Bonnafous les tourmente. Tournant les rezzous lancés contre lui, ce chrétien habillé en Maure, à la tête de ses deux cents pirates maures, a pénétré en dissidence, là où le dernier de ses propres hommes, affranchi des contraintes françaises, pourrait se réveiller de son servage, impunément, et le sacrifier à son Dieu sur les tables de pierre, là où son seul prestige les retient, où sa faiblesse même les effraie. Et cette nuit, au milieu de leurs sommeils rauques, il passe et passe indifférent, et son pas sonne jusque dans le cœur du désert.

Mouyane médite, toujours immobile dans le fond de la tente, comme un bas-relief de granit bleu. Ses yeux seuls brillent, et son poignard d'argent qui n'est plus un jouet. Qu'il a changé depuis qu'il a rallié le rezzou! Il sent, comme jamais, sa propre noblesse, et m'écrase de son mépris ; car il va monter vers Bonnafous, car il se mettra en marche, à l'aube, poussé par une haine qui a tous les signes de l'amour.

Une fois encore il se penche vers son frère, parle tout bas, et me regarde.

— Que dit-il?

— Il dit qu'il tirera sur toi s'il te rencontre loin du fort.

— Pourquoi?

— Il dit : « Tu as des avions et la T. S. F., tu as Bonnafous, mais tu n'as pas la vérité. »

Mouyane immobile dans ses voiles bleus, aux plis de statue, me juge.

Il dit : « Tu manges de la salade comme les chèvres, et du porc comme les porcs. Tes femmes sans pudeur montrent leur visage » : il en a vu. Il dit : « Tu ne pries jamais. » Il dit : « A quoi te servent tes avions, ta T. S. F., ton Bonnafous, si tu n'as pas la vérité? »

Et j'admire ce Maure qui ne défend pas sa liberté, car dans le désert on est toujours libre, qui ne défend pas de trésors visibles, car le désert est nu, mais qui défend un royaume secret. Dans le silence des vagues de sable, Bonnafous mène son peloton comme un vieux corsaire, et grâce à lui ce campement de Cap Juby n'est plus un foyer de pasteurs oisifs. La tempête de Bonnafous pèse contre son flanc, et à cause de lui on serre les tentes, le soir. Le silence, dans le Sud, qu'il est poignant : c'est le silence de Bonnafous! Et Mouyane, vieux chasseur, l'écoute qui marche dans le vent.

Lorsque Bonnafous rentrera en France, ses ennemis, loin de s'en réjouir, le pleureront, comme si son départ enlevait à leur désert un de ses pôles, à leur existence un peu de prestige, et ils me diront :

— Pourquoi s'en va-t-il, ton Bonnafous?
— Je ne sais pas...

Il a joué sa vie contre la leur, et pendant des années. Il a fait ses règles de leurs règles. Il a dormi, la tête appuyée à leurs pierres. Pendant l'éternelle poursuite il a connu comme eux des nuits de Bible, faites d'étoiles et de vent. Et voici qu'il montre, en s'en allant, qu'il ne jouait pas un jeu essentiel. Il quitte la table avec désinvolture. Et les Maures, qu'il laisse jouer seuls, perdent confiance dans un sens de la vie qui n'engage plus les hommes jusqu'à la chair. Ils veulent croire en lui quand même.

— Ton Bonnafous : il reviendra.
— Je ne sais pas.

Il reviendra, pensent les Maures. Les jeux d'Europe ne pourront plus le contenter, ni les bridges de garnison, ni l'avancement, ni les femmes. Il reviendra, hanté par sa noblesse perdue, là où chaque pas fait battre le cœur. comme un pas vers l'amour. Il aura cru ne vivre ici qu'une aventure, et retrouver là-bas l'essentiel, mais il découvrira avec dégoût que les seules richesses véritables il les a possédées ici, dans le désert : ce prestige du sable, la nuit, ce silence, cette patrie de vent et d'étoiles. Et si Bonnafous revient un jour, la nouvelle, dès la première nuit, se répandra en dissidence. Quelque part dans le Sahara, au milieu de ses deux cents pirates, les Maures sauront qu'il dort. Alors on mènera au puits, dans le silence, les méhara. On préparera les provisions d'orge. On vérifiera les culasses. Poussés par cette haine, ou cet amour.

6

— Cache-moi dans un avion pour Marrakech...

Chaque soir, à Juby, cet esclave des Maures m'adressait sa courte prière. Après quoi, ayant fait son possible pour vivre, il s'asseyait les jambes en croix et préparait mon thé. Désormais paisible pour un jour, s'étant confié, croyait-il, au seul médecin qui pût le guérir, ayant sollicité le seul dieu qui pût le sauver. Ruminant désormais, penché sur la bouilloire, les images simples de sa vie, les terres noires de Marrakech, ses maisons roses, les biens élémentaires dont il était dépossédé. Il ne m'en voulait pas de mon silence, ni de mon retard à donner la vie : je n'étais pas un homme semblable à lui, mais une force à mettre en marche, mais quelque chose comme un vent favorable, et qui se lèverait un jour sur sa destinée.

Pourtant, simple pilote, chef d'aéroport pour quelques mois à Cap Juby, disposant pour toute fortune d'une baraque adossée au fort espagnol, et, dans cette baraque, d'une cuvette, d'un broc d'eau salée, d'un lit trop court, je me faisais moins d'illusions sur ma puissance :

— Vieux Bark, on verra ça...

Tous les esclaves s'appellent Bark ; il s'appelait donc Bark. Malgré quatre années de captivité, il ne s'était pas résigné encore : il se souvenait d'avoir été roi.

— Que faisais-tu, Bark, à Marrakech ?

A Marrakech, où sa femme et ses trois enfants vivaient sans doute encore, il avait exercé un métier magnifique :

— J'étais conducteur de troupeaux, et je m'appelais Mohammed !

Les caïds, là-bas, le convoquaient :

— J'ai des bœufs à vendre, Mohammed. Va les chercher dans la montagne.

Ou bien :

— J'ai mille moutons dans la plaine, conduis-les plus haut vers les pâturages.

Et Bark, armé d'un sceptre d'olivier, gouvernait leur exode. Seul responsable d'un peuple de brebis, ralentissant les plus agiles à cause des agneaux à naître, et secouant un peu les paresseuses, il marchait dans la confiance et l'obéissance de tous. Seul à connaître vers quelles terres promises ils montaient, seul à lire sa route dans les astres, lourd d'une science qui n'est point partagée aux brebis, il décidait seul, dans sa sagesse, l'heure du repos, l'heure des fontaines. Et debout, la nuit, dans leur sommeil, pris de tendresse pour tant de faiblesse ignorante, et baigné de laine jusqu'aux genoux, Bark, médecin, prophète et roi, priait pour son peuple.

Un jour, des Arabes l'avaient abordé :

— Viens avec nous chercher des bêtes dans le Sud.

On l'avait fait marcher longtemps, et quand, après trois jours, il fut bien engagé dans un chemin creux de montagne, aux confins de la dissidence, on lui mit simplement la main sur l'épaule, on le baptisa Bark et on le vendit.

Je connaissais d'autres esclaves. J'allais chaque jour, sous les tentes, prendre le thé. Allongé là, pieds nus, sur le tapis de haute laine qui est le luxe du nomade, et sur lequel il fonde pour quelques heures sa demeure, je goûtais le voyage du jour. Dans le désert, on sent l'écoulement du temps. Sous la brûlure du soleil, on est en marche vers le soir, vers ce vent frais qui baignera les membres et lavera toute sueur. Sous la brûlure du soleil, bêtes et hommes, aussi sûrement que vers la mort, avancent vers ce grand abreuvoir. Ainsi l'oisiveté n'est jamais vaine. Et toute journée paraît belle comme ces routes qui vont à la mer.

Je les connaissais, ces esclaves. Ils entrent sous la tente quand le chef a tiré de la caisse aux trésors le réchaud, la bouilloire et les verres, de cette caisse lourde d'objets absurdes, de cadenas sans clefs, de vases de fleurs sans fleurs, de glaces à trois sous, de vieilles armes, et qui, échoués ainsi en plein sable, font songer à l'écume d'un naufrage.

Alors l'esclave, muet, charge le réchaud de brindilles sèches, souffle sur la braise, remplit la bouilloire, fait jouer pour des efforts de petite fille, des muscles qui déracineraient un cèdre. Il est paisible. Il est pris par le jeu : faire le thé, soigner les méhara, manger. Sous la brûlure du jour, marcher vers la nuit, et sous la glace des étoiles nues souhaiter la brûlure du jour. Heureux les pays du Nord auxquels les saisons composent, l'été, une légende de neige, l'hiver, une légende de soleil, tristes tropiques où dans l'étuve rien ne change beaucoup, mais heureux aussi ce Sahara où le jour et la nuit balancent si simplement les hommes d'une espérance à l'autre.

Parfois l'esclave noir, s'accroupissant devant la porte, goûte le vent du soir. Dans ce corps pesant de captif, les souvenirs ne remontent plus. A peine se souvient-il de l'heure du rapt, de ces coups, de ces cris, de ces bras d'homme qui l'ont renversé dans sa nuit présente. Il s'enfonce, depuis cette heure-là, dans un étrange sommeil, privé comme un aveugle de ses fleuves lents du Sénégal ou de ses villes blanches du Sud-Marocain, privé comme un sourd des voix familières. Il n'est pas malheureux, ce noir, il est infirme. Tombé un jour dans le cycle de la vie des nomades, lié à leurs migrations, attaché pour la vie aux orbes qu'ils décrivent dans le désert, que conserverait-il de commun, désormais, avec un passé, avec un foyer, avec une femme et des enfants qui sont, pour lui, aussi morts que des morts ?

Des hommes qui ont vécu longtemps d'un grand amour, puis en furent privés, se lassent parfois de leur noblesse solitaire. Ils se rapprochent humblement de la vie, et, d'un amour médiocre, font leur bonheur. Ils ont trouvé doux d'abdiquer, de se faire serviles, et d'entrer dans la paix des choses. L'esclave fait son orgueil de la braise du maître.

— Tiens, prends, dit parfois le chef au captif.

C'est l'heure où le maître est bon pour l'esclave à cause de cette rémission de toutes les fatigues, de toutes les brûlures, à cause de cette entrée, côte à côte, dans la fraîcheur. Et il lui accorde un verre de thé. Et le captif, alourdi de reconnaissance, baiserait, pour ce verre de thé, les genoux du maître. L'esclave n'est jamais chargé de chaînes. Qu'il en a peu besoin! Qu'il est fidèle! Qu'il renie sagement en lui le roi noir dépossédé : il n'est plus qu'un captif heureux.

Un jour, pourtant, on le délivrera. Quand il sera trop vieux pour valoir ou sa nourriture ou ses vêtements, on lui accordera une liberté démesurée. Pendant trois jours, il se proposera en vain de tente en tente, chaque jour plus faible, et vers la fin du troisième jour, toujours sagement il se couchera sur le sable. J'en ai vu ainsi, à Juby, mourir nus. Les Maures coudoyaient leur longue agonie, mais sans cruauté, et les petits des Maures jouaient près de l'épave sombre, et, à chaque aube, couraient voir par jeu si elle remuait encore, mais sans rire du vieux serviteur. Cela était dans l'ordre naturel. C'était comme si on lui eût dit : « Tu as bien travaillé, tu as droit au sommeil, va dormir. » Lui, toujours allongé, éprouvait la faim qui n'est qu'un vertige, mais non l'injustice qui seule tourmente. Il se mêlait peu à peu à la terre. Séché par le soleil et reçu par la terre. Trente années de travail, puis ce droit au sommeil et à la terre.

Le premier que je rencontrai, je ne l'entendis pas gémir : mais il n'avait pas contre qui gémir. Je devinais en lui une sorte d'obscur consentement, celui du montagnard perdu, à bout de forces, et qui se couche dans la neige, s'enveloppe dans ses rêves et dans la neige. Ce ne fut pas sa souffrance qui me tourmenta. Je n'y croyais guère. Mais, dans la mort d'un homme, un monde inconnu meurt, et je me demandais quelles étaient les images qui sombraient en lui. Quelles plantations du Sénégal, quelles villes blanches du Sud-Marocain s'enfonçaient peu à peu dans l'oubli. Je ne pouvais connaître si, dans cette masse noire, s'éteignaient simplement des soucis misérables : le thé à préparer, les bêtes à conduire au puits... si s'endormait une âme d'esclave, ou si, ressuscité par une remontée de souvenirs, l'homme mourait dans sa grandeur. L'os dur du crâne était pour moi pareil à la vieille caisse aux trésors. Je ne savais quelles soies de couleur, quelles images de fêtes, quels vestiges tellement désuets ici, tellement inutiles dans ce désert, y avaient échappé au naufrage. Cette caisse était là, bouclée, et lourde. Je ne savais quelle part du monde se défaisait dans l'homme pendant le gigantesque sommeil des derniers jours, se défaisait dans cette conscience et cette chair qui, peu à peu, redevenaient nuit et racine.

« J'étais conducteur de troupeaux, et je m'appelais Mohammed... »

Bark, captif noir, était le premier que je connus qui ait résisté. Ce n'était rien que les Maures eussent violé sa liberté, l'eussent fait, en un jour, plus nu sur terre qu'un nouveau-né. Il est des tempêtes de Dieu qui ravagent, ainsi, en une heure, les moissons d'un homme. Mais, plus profondément que dans ses biens, les Maures le menaçaient dans son personnage. Et Bark n'abdiquait pas, alors que tant d'autres captifs eussent laissé si bien mourir en eux un pauvre conducteur de bêtes, qui besognait toute l'année pour gagner son pain!

Bark ne s'installait pas dans la servitude comme on s'installe, las d'attendre, dans un médiocre bonheur. Il ne voulait pas faire ses joies d'esclave des bontés du maître d'esclaves. Il conservait au Mohammed absent cette maison que ce Mohammed avait habitée dans sa poitrine. Cette maison triste d'être vide, mais que nul autre n'habiterait. Bark ressemblait à ce gardien blanchi qui, dans les herbes des allées et l'ennui du silence, meurt de fidélité.

Il ne disait pas : « Je suis Mohammed ben Lhaoussin », mais : « Je m'appelais Mohammed », rêvant au jour où ce personnage oublié ressusciterait, chassant par sa seule résurrection l'apparence de l'esclave. Parfois, dans le silence de la nuit, tous ses souvenirs lui étaient rendus, avec la plénitude d'un chant d'enfance. « Au milieu de la nuit, nous racontait notre interprète maure, au milieu de la nuit, il a parlé de Marrakech, et il a pleuré. » Nul n'échappe dans la solitude à ces retours. L'autre se réveillait en

101

lui, sans prévenir, s'étirait dans ses propres membres, cherchait la femme contre son flanc, dans ce désert où nulle femme jamais n'approcha. Bark écoutait chanter l'eau des fontaines, là où nulle fontaine ne coula jamais. Et Bark, les yeux fermés, croyait habiter une maison blanche, assise chaque nuit sous la même étoile, là où les hommes habitent des maisons de bure et poursuivent le vent. Chargé de ses vieilles tendresses mystérieusement vivifiées, comme si leur pôle eût été proche, Bark venait à moi. Il voulait me dire qu'il était prêt, que toutes ses tendresses étaient prêtes, et qu'il n'avait plus, pour les distribuer, qu'à rentrer chez lui. Et il suffirait d'un signe de moi. Et Bark souriait, m'indiquait le truc, je n'y avais sans doute pas songé encore :

— C'est demain le courrier... Tu me caches dans l'avion pour Agadir...

— Pauvre vieux Bark !

Car nous vivions en dissidence, comment l'eussions-nous aidé à fuir ? Les Maures, le lendemain, auraient vengé par Dieu sait quel massacre le vol et l'injure. J'avais bien tenté de l'acheter, aidé par les mécaniciens de l'escale, Laubergue, Marchal, Abgrall, mais les Maures ne rencontrent pas tous les jours des Européens en quête d'un esclave. Ils en abusent.

— C'est vingt mille francs.

— Tu te fous de nous ?

— Regarde-moi ces bras forts qu'il a...

Et des mois passèrent ainsi.

Enfin les prétentions des Maures baissèrent,

et, aidé par des amis de France auxquels j'avais écrit, je me vis en mesure d'acheter le vieux Bark.

Ce furent de beaux pourparlers. Ils durèrent huit jours. Nous les passions, assis en rond, sur le sable, quinze Maures et moi. Un ami du propriétaire et qui était aussi le mien, Zin Ould Rhattari, un brigand, m'aidait en secret :

— Vends-le, tu le perdras quand même, lui disait-il sur mes conseils. Il est malade. Le mal ne se voit pas d'abord, mais il est dedans. Un jour vient, tout à coup, où l'on gonfle. Vends-le vite au Français.

J'avais promis une commission à un autre bandit, Raggi, s'il m'aidait à conclure l'achat, et Raggi tentait le propriétaire :

— Avec l'argent tu achèteras des chameaux, des fusils et des balles. Tu pourras ainsi partir en rezzou et faire la guerre aux Français. Ainsi, tu ramèneras d'Atar trois ou quatre esclaves tout neufs. Liquide ce vieux-là.

Et l'on me vendit Bark. Je l'enfermai à clef pour six jours dans notre baraque, car s'il avait erré au-dehors avant le passage de l'avion, les Maures l'eussent repris et revendu plus loin.

Mais je le libérai de son état d'esclave. Ce fut encore une belle cérémonie. Le marabout vint, l'ancien propriétaire et Ibrahim, le caïd de Juby. Ces trois pirates, qui lui eussent volontiers coupé la tête, à vingt mètres du mur du fort, pour le seul plaisir de me jouer un tour, l'embrassèrent chaudement, et signèrent un acte officiel.

— Maintenant, tu es notre fils.

C'était aussi le mien, selon la loi.

Et Bark embrassa tous ses pères.

Il vécut dans notre baraque une douce captivité jusqu'à l'heure du départ. Il se aisait décrire vingt fois par jour le facile voyage : il descendrait d'avion à Agadir, et on lui remettrait, dans cette escale, un billet d'autocar pour Marrakech. Bark jouait à l'homme libre, comme un enfant joue à l'explorateur : cette démarche vers la vie, cet autocar, ces foules, ces villes qu'il allait revoir...

Laubergue vint me trouver au nom de Marchal et d'Abgrall. Il ne fallait pas que Bark crevât de faim en débarquant. Ils me donnaient mille francs pour lui ; Bark pourrait ainsi chercher du travail.

Et je pensais à ces vieilles dames des bonnes œuvres qui « font la charité », donnent vingt francs et exigent la reconnaissance. Laubergue, Marchal, Abgrall, mécaniciens d'avions, en donnaient mille, ne faisaient pas la charité, exigeaient encore moins de reconnaissance. Ils n'agissaient pas non plus par pitié, comme ces mêmes vieilles dames qui rêvent au bonheur. Ils contribuaient simplement à rendre à un homme sa dignité d'homme. Ils savaient trop bien, comme moi-même, qu'une fois passée l'ivresse du retour, la première amie fidèle qui viendrait au-devant de Bark, serait la misère, et qu'il peinerait avant trois mois quelque part sur les voies de chemin de fer, à déraciner des traverses. Il serait moins heureux qu'au désert chez nous. Mais il avait le droit d'être lui-même parmi les siens.

— Allons, vieux Bark, va et sois un homme.

L'avion vibrait, prêt à partir. Bark se penchait une dernière fois vers l'immense désolation de Cap Juby. Devant l'avion deux cents Maures s'étaient groupés pour bien voir quel visage prend un esclave aux portes de la vie. Ils le récupéreraient un peu plus loin en cas de panne.

Et nous faisions des signes d'adieu à notre nouveau-né de cinquante ans, un peu troublés de le hasarder vers le monde.

— Adieu, Bark!

— Non.

— Comment : non?

— Non. Je suis Mohammed ben Lhaoussin.

Nous eûmes pour la dernière fois des nouvelles de lui par l'Arabe Abdallah, qui, sur notre demande, assista Bark à Agadir.

L'autocar partait le soir seulement, Bark disposait ainsi d'une journée. Il erra d'abord si longtemps, et sans dire un mot, dans la petite ville, qu'Abdallah le devina inquiet et s'émut :

— Qu'y a-t-il?

— Rien...

Bark, trop au large dans ses vacances soudaines, ne sentait pas encore sa résurrection. Il éprouvait bien un bonheur sourd, mais il n'y avait guère de différence, hormis ce bonheur, entre le Bark d'hier et le Bark d'aujourd'hui. Il partageait pourtant désormais, à égalité, ce soleil avec les autres hommes, et le droit de s'asseoir ici, sous cette tonnelle de café arabe. Il s'y assit. Il commanda du thé pour Abdallah et lui. C'était son premier geste de seigneur ; son pouvoir eût dû le transfigurer. Mais le serveur lui versa le thé sans surprise, comme si le geste était ordinaire. Il ne sentait pas, en versant ce thé, qu'il glorifiait un homme libre.

— Allons ailleurs, dit Bark.

Ils montèrent vers la Kasbah, qui domine Agadir. Les petites danseuses berbères vinrent à eux. Elles montraient tant de douceur apprivoisée que Bark crut qu'il allait revivre : c'étaient elles qui, sans le savoir, l'accueilleraient dans la vie. L'ayant pris par la main, elles lui offrirent donc le thé, gentiment, mais comme elles l'eussent offert à tout autre. Bark voulut raconter sa résurrection. Elles rirent doucement. Elles étaient contentes pour lui, puisqu'il était content. Il ajouta pour les émerveiller : « Je suis Mohammed ben Lhaoussin. » Mais cela ne les surprit guère. Tous les hommes ont un nom, et beaucoup reviennent de tellement loin...

Il entraîna encore Abdallah vers la ville. Il erra devant les échoppes juives, regarda la mer, songea qu'il pouvait marcher à son gré dans n'importe quelle direction, qu'il était libre... Mais cette liberté lui parut amère : elle lui découvrait surtout à quel point il manquait de liens avec le monde.

Alors, comme un enfant passait, Bark lui caressa doucement la joue. L'enfant sourit. Ce n'était pas un fils de maître que l'on flatte. C'était un enfant faible à qui Bark accordait une caresse. Et qui souriait. Et cet enfant réveilla Bark, et Bark se devina un peu plus important sur terre, à cause d'un enfant faible qui lui avait dû de sourire. Il commençait d'entrevoir quelque chose et marchait maintenant à grands pas.

— Que cherches-tu ? demandait Abdallah.

— Rien, répondait Bark.

Mais quand il buta, au détour d'une rue, sur un groupe d'enfants qui jouaient, il s'arrêta. C'était ici. Il les regarda en silence. Puis, s'étant écarté vers les échoppes juives, il revint les bras chargés de présents. Abdallah s'irritait :

— Imbécile, garde ton argent !

Mais Bark n'écoutait plus. Gravement, il fit signe à chacun. Et les petites mains se tendirent vers les jouets et les bracelets et les babouches cousues d'or. Et chaque enfant, quand il tenait bien son trésor, fuyait, sauvage.

Les autres enfants d'Agadir, apprenant la nouvelle, accoururent vers lui : Bark les chaussa de babouches d'or. Et dans les environs d'Agadir, d'autres enfants, touchés à leur tour par cette rumeur, se levèrent et montèrent avec des cris vers le dieu noir et, cramponnés à ses vieux vêtements d'esclave, réclamèrent leur dû. Bark se ruinait.

Abdallah le crut « fou de joie ». Mais je crois qu'il ne s'agissait pas, pour Bark, de faire partager un trop-plein de joie.

Il possédait, puisqu'il était libre, les biens essentiels, le droit de se faire aimer, de marcher vers le nord ou le sud et de gagner son pain par son travail. A quoi bon cet argent... Alors qu'il éprouvait, comme on éprouve une faim profonde, le besoin d'être un homme parmi les hommes, lié aux hommes. Les danseuses d'Agadir s'étaient montrées tendres pour le vieux Bark, mais il avait pris congé d'elles sans effort, comme il était venu ; elles n'avaient pas besoin de lui. Ce serveur de l'échoppe arabe, ces pas-

sants dans les rues, tous respectaient en lui
l'homme libre, partageaient avec lui leur soleil
à égalité, mais aucun n'avait montré non plus
qu'il eût besoin de lui. Il était libre, mais infiniment, jusqu'à ne plus se sentir peser sur terre.
Il lui manquait ce poids des relations humaines
qui entrave la marche, ces larmes, ces adieux,
ces reproches, ces joies, tout ce qu'un homme
caresse ou déchire chaque fois qu'il ébauche un
geste, ces mille liens qui l'attachent aux autres,
et le rendent lourd. Mais sur Bark pesaient déjà
mille espérances...

Et le règne de Bark commençait dans cette
gloire du soleil couchant sur Agadir, dans cette
fraîcheur qui si longtemps avait été pour lui la
seule douceur à attendre, la seule étable. Et
comme approchait l'heure du départ, Bark
s'avançait, baigné de cette marée d'enfants,
comme autrefois de ses brebis, creusant son
premier sillage dans le monde. Il rentrerait,
demain, dans la misère des siens, responsable
de plus de vies que ses vieux bras n'en sauraient
peut-être nourrir, mais déjà il pesait ici de son
vrai poids. Comme un archange trop léger pour
vivre de la vie des hommes, mais qui eût tri-
ché, qui eût cousu du plomb dans sa ceinture,
Bark faisait des pas difficiles, tiré vers le sol
par mille enfants, qui avaient tellement besoin
de babouches d'or.

7

Tel est le désert. Un Coran, qui n'est qu'une
règle de jeu, en change le sable en Empire. Au

fond d'un Sahara qui serait vide, se joue une pièce secrète, qui remue les passions des hommes. La vraie vie du désert n'est pas faite d'exodes de tribus à la recherche d'une herbe à paître, mais du jeu qui s'y joue encore. Quelle différence de matière entre le sable soumis et l'autre! Et n'en est-il pas ainsi pour tous les hommes? En face de ce désert transfiguré je me souviens des jeux de mon enfance, du parc sombre et doré que nous avions peuplé de dieux, du royaume sans limites que nous tirions de ce kilomètre carré jamais entièrement connu, jamais entièrement fouillé. Nous formions une civilisation close, où les pas avaient un goût, où les choses avaient un sens qui n'étaient permis dans aucune autre. Que reste-t-il lorsque, devenu homme, on vit sous d'autres lois, du parc plein d'ombre de l'enfance, magique, glacé, brûlant, dont maintenant, lorsque l'on y revient, on longe avec une sorte de désespoir, de l'extérieur, le petit mur de pierres grises, s'étonnant de trouver fermée dans une enceinte aussi étroite, une province dont on avait fait son infini, et comprenant que dans cet infini on ne rentrera jamais plus, car c'est dans le jeu, et non dans le parc, qu'il faudrait rentrer.

Mais il n'est plus de dissidence. Cap Juby, Cisneros, Puerto Cansado, la Saguet-El-Hamra, Dora, Smarra, il n'est plus de mystère. Les horizons vers lesquels nous avons couru se sont éteints l'un après l'autre, comme ces insectes qui perdent leurs couleurs une fois pris au piège des mains tièdes. Mais celui qui les poursuivait n'était pas le jouet d'une illusion. Nous ne nous trompions pas, quand nous courions ces découvertes. Le sultan des Mille et Une Nuits non plus, qui poursuivait une matière si subtile, que ses belles captives, une à une, s'éteignaient à l'aube dans ses bras, ayant perdu, à peine touchées, l'or de leurs ailes. Nous nous sommes nourris de la magie des sables, d'autres peut-être y creuseront leurs puits de pétrole, et s'enrichiront de leurs marchandises. Mais ils seront venus trop tard. Car les palmeraies interdites, ou la poudre vierge des coquillages, nous ont livré leur part la plus précieuse : elles n'offraient qu'une heure de ferveur, et c'est nous qui l'avons vécue.

Le désert ? Il m'a été donné de l'aborder un jour par le cœur. Au cours d'un raid vers l'Indochine, en 1935, je me suis retrouvé en Égypte, sur les confins de la Libye, pris dans les sables comme dans une glu, et j'ai cru en mourir. Voici l'histoire.

VII

AU CENTRE DU DÉSERT

1

En abordant la Méditerranée j'ai rencontré des nuages bas. Je suis descendu à vingt mètres. Les averses s'écrasent contre le pare-brise et la mer semble fumer. Je fais de grands efforts pour apercevoir quelque chose et ne point tamponner un mât de navire.

Mon mécanicien, André Prévot, m'allume des cigarettes.

— Café...

Il disparaît à l'arrière de l'avion et revient avec le thermos. Je bois. Je donne de temps en temps des chiquenaudes à la manette des gaz pour bien maintenir deux mille cent tours. Je balaie d'un coup d'œil mes cadrans : mes sujets sont obéissants, chaque aiguille est bien à sa place. Je jette un coup d'œil sur la mer qui, sous la pluie, dégage des vapeurs, comme une grande bassine chaude. Si j'étais en hydravion, je regretterais qu'elle soit si « creuse ». Mais je suis en avion. Creuse ou non je ne puis m'y poser. Et cela me procure, j'ignore pourquoi, un absurde sentiment de sécurité. La mer fait partie d'un monde qui n'est pas le mien. La panne, ici, ne me concerne pas, ne me menace même pas : je ne suis point gréé pour la mer.

Après une heure trente de vol la pluie s'apaise. Les nuages sont toujours très bas, mais la lumière les traverse déjà comme un grand sourire. J'admire cette lente préparation du beau temps. Je devine, sur ma tête, une faible épaisseur de coton blanc. J'oblique pour éviter un grain : il n'est plus nécessaire d'en traverser le cœur. Et voici la première déchirure...

J'ai pressenti celle-ci sans la voir, car j'aperçois, en face de moi, sur la mer, une longue traînée couleur de prairie, une sorte d'oasis d'un vert lumineux et profond, pareil à celui de ces champs d'orge qui me pinçaient le cœur, dans le Sud-Marocain, quand je remontais du Sénégal après trois mille kilomètres de sable. Ici aussi j'ai le sentiment d'aborder une province habitable, et je goûte une gaieté légère. Je me retourne vers Prévot :

— C'est fini, ça va bien !

— Oui, ça va bien...

Tunis. Pendant le plein d'essence, je signe des papiers. Mais à l'instant où je quitte le bureau j'entends comme un « plouf ! » de plongeon. Un de ces bruits sourds, sans écho. Je me rappelle à l'instant même avoir entendu un bruit semblable : une explosion dans un garage. Deux hommes étaient morts de cette toux rauque. Je me retourne vers la route qui longe la piste : un peu de poussière fume, deux voitures rapides se sont tamponnées, prises tout à coup dans l'immobilité comme dans les glaces. Des hommes courent vers elles, d'autres courent à nous :

— Téléphonez... Un médecin... La tête...

J'éprouve un serrement au cœur. La fatalité,
dans la calme lumière du soir, vient de réussir
un coup de main. Une beauté ravagée, une intel-
ligence, ou une vie... Les pirates ainsi ont che-
miné dans le désert, et personne n'a entendu
leur pas élastique sur le sable. Ç'a été, dans le
campement, la courte rumeur de la razzia. Puis
tout est retombé dans le silence doré. La même
paix, le même silence... Quelqu'un près de moi
parle d'une fracture du crâne. Je ne veux rien
savoir de ce front inerte et sanglant, je tourne
le dos à la route et rejoins mon avion. Mais je
conserve au cœur une impression de menace.
Et ce bruit-là je le reconnaîtrai tout à l'heure.
Quand je raclerai mon plateau noir à deux
cent soixante-dix kilomètres-heure je reconnaîtrai la même toux rauque : le même « han »!
du destin, qui nous attendait au rendez-vous.

En route pour Benghazi.

2

En route. Deux heures de jour encore. J'ai
déjà renoncé à mes lunettes noires quand
j'aborde la Tripolitaine. Et le sable se dore.
Dieu que cette planète est donc déserte! Une
fois de plus, les fleuves, les ombrages et les habi-
tations des hommes m'y paraissent dus à des
conjonctions d'heureux hasard. Quelle part de
roc et de sable!

Mais tout cela m'est étranger, je vis dans le
domaine du vol. Je sens venir la nuit où l'on

s'enferme comme dans un temple. Où l'on s'enferme, aux secrets de rites essentiels, dans une méditation sans secours. Tout ce monde profane s'efface déjà et va disparaître. Tout ce paysage est encore nourri de lumière blonde, mais quelque chose déjà s'en évapore. Et je ne connais rien, je dis : rien, qui vaille cette heure-là. Et ceux-là me comprennent bien, qui ont subi l'inexplicable amour du vol.

Je renonce donc peu à peu au soleil. Je renonce aux grandes surfaces dorées qui m'eussent accueilli en cas de panne... Je renonce aux repères qui m'eussent guidé. Je renonce aux profils des montagnes sur le ciel qui m'eussent évité les écueils. J'entre dans la nuit. Je navigue. Je n'ai plus pour moi que les étoiles...

Cette mort du monde se fait lentement. Et c'est peu à peu que me manque la lumière. La terre et le ciel se confondent peu à peu. Cette terre monte et semble se répandre comme une vapeur. Les premiers astres tremblent comme dans une eau verte. Il faudra attendre longtemps encore pour qu'ils se changent en diamants durs. Il me faudra attendre longtemps encore pour assister aux jeux silencieux des étoiles filantes. Au cœur de certaines nuits, j'ai vu tant de flammèches courir qu'il me semblait que soufflait un grand vent parmi les étoiles.

Prévot fait les essais des lampes fixes et des lampes de secours. Nous entourons les ampoules de papier rouge.

— Encore une épaisseur...

Il ajoute une couche nouvelle, touche un contact. La lumière est encore trop claire. Elle voilerait, comme chez le photographe, la pâle image du monde extérieur. Elle détruirait cette pulpe légère qui, la nuit parfois, s'attache encore aux choses. Cette nuit s'est faite. Mais ce n'est pas encore la vraie nuit. Un croissant de lune subsiste. Prévot s'enfonce vers l'arrière et revient avec un sandwich. Je grignote une grappe de raisin. Je n'ai pas faim. Je n'ai ni faim ni soif. Je ne ressens aucune fatigue, il me semble que que je piloterais ainsi pendant dix années.

La lune est morte.

Benghazi s'annonce dans la nuit noire. Benghazi repose au fond d'une obscurité si profonde qu'elle ne s'orne d'aucun halo. J'ai aperçu la ville quand je l'atteignais. Je cherchais le terrain, mais voici que son balisage rouge s'allume. Les feux découpent un rectangle noir. Je vire. La lumière d'un phare braqué vers le ciel monte droit comme un jet d'incendie, pivote et trace sur le terrain une route d'or. Je vire encore pour bien observer les obstacles. L'équipement nocturne de cette escale est admirable. Je réduis et commence ma plongée comme dans l'eau noire.

Il est 23 heures locales quand j'atterris. Je roule vers le phare. Officiers et soldats les plus courtois du monde passent de l'ombre à la lumière dure du projecteur, tour à tour visibles et invisibles. On me prend mes papiers, on commence le plein d'essence. Mon passage sera réglé en vingt minutes.

— Faites un virage et passez au-dessus de nous, sinon nous ignorerions si le décollage s'est bien terminé.

En route.

Je roule sur cette route d'or, vers une trouée sans obstacles. Mon avion, type « Simoun », décolle sa surcharge bien avant d'avoir épuisé l'aire disponible. Le projecteur me suit et je suis gêné pour virer. Enfin, il me lâche, on a deviné qu'il m'éblouissait. Je fais demi-tour à la verticale, lorsque le projecteur me frappe de nouveau au visage, mais à peine m'a-t-il touché, il me suit et dirige ailleurs sa longue flûte d'or. Je sens, sous ces ménagements, une extrême courtoisie. Et maintenant je vire encore vers le désert.

Les météos de Paris, Tunis et Benghazi m'ont annoncé un vent arrière de trente à quarante kilomètres-heure. Je compte sur trois cents kilomètres-heure de croisière. Je mets le cap sur le milieu du segment de droite qui joint Alexandrie au Caire. J'éviterai ainsi les zones interdites de la côte et, malgré les dérives inconnues que je subirai, je serai accroché, soit à ma droite, soit à ma gauche, par les feux de l'une ou l'autre de ces villes ou, plus généralement, par ceux de la vallée du Nil. Je naviguerai trois heures vingt si le vent n'a point varié. Trois heures quarante-cinq s'il a faibli. Et je commence à absorber mille cinquante kilomètres de désert.

Plus de lune. Un bitume noir qui s'est dilaté jusqu'aux étoiles. Je n'apercevrai pas un feu, je ne bénéficierai d'aucun repère, faute de radio je ne recevrai pas un signe de l'homme avant le Nil. Je ne tente même pas d'observer autre chose que mon compas et mon sperry. Je ne m'intéresse plus à rien, sinon à la lente période de respiration, sur l'écran sombre de l'instrument, d'une étroite ligne de radium. Quand Prévot se déplace, je corrige doucement les variations du centrage. Je m'élève à deux mille là où les vents, m'a-t-on signalé, sont favorables. A longs intervalles j'allume une lampe pour observer les cadrans-moteur qui ne sont pas tous lumineux, mais la majeure partie du temps je m'enferme bien dans le noir, parmi mes minuscules constellations qui répandent la même lumière minérale que les étoiles, la même lumière inusable et secrète, et qui parlent le même langage. Moi aussi, comme les astronomes, je lis un livre de mécanique céleste. Moi aussi je me sens studieux et pur. Tout s'est éteint dans le monde extérieur. Il y a Prévot qui s'endort, après avoir bien résisté, et je goûte mieux ma solitude. Il y a le doux grondement du moteur et, en face de moi, sur la planche de bord, toutes ces étoiles calmes.

Je médite cependant. Nous ne bénéficions point de la lune et nous sommes privés de radio. Aucun lien, si ténu soit-il, ne nous liera plus au monde jusqu'à ce que nous donnions du front contre le filet de lumière du Nil. Nous sommes hors de tout, et notre moteur seul nous suspend et nous fait durer dans ce bitume. Nous traversons la grande vallée noire des contes de fées, celle de l'épreuve. Ici point de secours. Ici point de pardon pour les erreurs. Nous sommes livrés à la discrétion de Dieu.

Un rai de lumière filtre d'un joint du standard électrique. Je réveille Prévot pour qu'il l'éteigne. Prévot remue dans l'ombre comme un ours, s'ébroue, s'avance. Il s'absorbe dans je ne sais quelle combinaison de mouchoirs et

117

de papier noir. Mon rai de lumière à disparu. Il formait cassure dans ce monde. Il n'était point de la même qualité que la pâle et lointaine lumière du radium. C'était une lumière de boîte de nuit et non une lumière d'étoile. Mais surtout il m'éblouissait, effaçait les autres lueurs.

Trois heures de vol. Une clarté qui me paraît vive jaillit sur ma droite. Je regarde. Un long sillage lumineux s'accroche à la lampe de bout d'aile, qui, jusque-là, m'était demeurée invisible. C'est une lueur intermittente, tantôt appuyée, tantôt effacée : voici que je rentre dans un nuage. C'est lui qui réfléchit ma lampe. A proximité de mes repères j'eusse préféré un ciel pur. L'aile s'éclaire sous le halo. La lumière s'installe, et se fixe, et rayonne, et forme là-bas un bouquet rose. Des remous profonds me basculent. Je navigue quelque part dans le vent d'un cumulus dont je ne connais pas l'épaisseur. Je m'élève jusqu'à deux mille cinq et n'émerge pas. Je redescends à mille mètres. Le bouquet de fleurs est toujours présent, immobile et de plus en plus éclatant. Bon. Ça va. Tant pis. Je pense à autre chose. On verra bien quand on en sortira. Mais je n'aime pas cette lumière de mauvaise auberge.

Je calcule : « Ici je danse un peu, et c'est normal, mais j'ai subi des remous tout le long de ma route malgré le ciel pur et l'altitude. Le vent n'est point calmé, et je dois dépasser la vitesse de trois cents kilomètres-heure. » Après tout, je ne sais rien de bien précis, j'essaierai de me repérer quand je sortirai du nuage.

Et l'on en sort. Le bouquet s'est brusquement évanoui. C'est sa disparition qui m'annonce l'événement. Je regarde vers l'avant et j'aperçois, autant que l'on peut rien apercevoir, une étroite vallée de ciel et le mur du prochain cumulus. Le bouquet déjà s'est ranimé.

Je ne sortirai plus de cette glu, sauf pour quelques secondes. Après trois heures trente de vol elle commence à m'inquiéter, car je me rapproche du Nil si j'avance comme je l'imagine. Je pourrai peut-être l'apercevoir, avec un peu de chance, à travers les couloirs, mais ils ne sont guère nombreux. Je n'ose pas descendre encore : si, par hasard, je suis moins rapide que je ne le crois, je survole encore des terres élevées.

Je n'éprouve toujours aucune inquiétude, je crains simplement de risquer une perte de temps. Mais je fixe une limite à ma sérénité : quatre heures quinze de vol. Après cette durée, même par vent nul, et le vent nul est improbable, j'aurai dépassé la vallée du Nil.

Quand je parviens aux franges du nuage, le bouquet lance des feux à éclipses de plus en plus précipités, puis s'éteint d'un coup. Je n'aime pas ces communications chiffrées avec les démons de la nuit.

Une étoile verte émerge devant moi, rayonnante comme un phare. Est-ce une étoile ou est-ce un phare ? Je n'aime pas non plus cette clarté surnaturelle, cet astre de roi mage, cette invitation dangereuse.

Prévot s'est réveillé et éclaire les cadrans-moteur. Je les repousse, lui et sa lampe. Je viens d'aborder cette faille entre deux nuages, et j'en profite pour regarder sous moi. Prévot se rendort.

Il n'y a d'ailleurs rien à regarder.

Quatre heures cinq de vol. Prévot est venu s'asseoir auprès de moi :

— On devrait arriver au Caire...

— Je pense bien...

— Est-ce une étoile ça, ou un phare ?

J'ai réduit un peu mon moteur, c'est sans doute ce qui a réveillé Prévot. Il est sensible à toutes les variations des bruits du vol. Je commence une descente lente, pour me glisser sous la masse des nuages.

Je viens de consulter ma carte. De toute façon j'ai abordé les cotes O : je ne risque rien. Je descends toujours et vire plein nord. Ainsi je recevrai, dans mes fenêtres, les feux des villes. Je les ai sans doute dépassées, elles m'apparaîtront donc à gauche. Je vole maintenant sous les cumulus. Mais je longe un autre nuage qui descend plus bas sur ma gauche. Je vire pour ne pas me laisser prendre dans son filet, je fais du nord-nord-est.

Ce nuage descend indubitablement plus bas, et me masque tout l'horizon. Je n'ose plus perdre d'altitude. J'ai atteint la cote 400 de mon altimètre, mais j'ignore ici la pression. Prévot se penche. Je lui crie : « Je vais filer jusqu'à la mer, j'achèverai de descendre en mer, pour ne pas emboutir... »

Rien ne prouve d'ailleurs que je n'ai point déjà dérivé en mer. L'obscurité sous ce nuage est très exactement impénétrable. Je me serre contre ma fenêtre. J'essaie de lire sous moi. J'essaie de découvrir des feux, des signes. Je suis un homme qui fouille des cendres. Je suis un homme qui s'efforce de retrouver les braises de la vie au fond d'un âtre.

— Un phare marin!

Nous l'avons vu en même temps ce piège à éclipse! Quelle folie! Où était-il ce phare fantôme, cette invention de la nuit? Car c'est à la seconde même où Prévot et moi nous nous penchions pour le retrouver, à trois cents mètres sous nos ailes, que brusquement...

— Ah!

Je crois bien n'avoir rien dit d'autre. Je crois bien n'avoir rien ressenti d'autre qu'un formidable craquement qui ébranla notre monde sur ses bases. A deux cent soixante-dix kilomètres-heure nous avons embouti le sol.

Je crois bien ne rien avoir attendu d'autre, pour le centième de seconde qui suivait, que la grande étoile pourpre de l'explosion où nous allions tous les deux nous confondre. Ni Prévot ni moi n'avons ressenti la moindre émotion. Je n'observais en moi qu'une attente démesurée, l'attente de cette étoile resplendissante où nous devions, dans la seconde même, nous évanouir. Mais il n'y eut point d'étoile pourpre. Il y eut une sorte de tremblement de terre qui ravagea notre cabine, arrachant les fenêtres, expédiant des tôles à cent mètres, remplissant jusqu'à nos entrailles de son grondement. L'avion vibrait comme un couteau planté de loin dans le bois dur. Et nous étions brassés par cette colère. Une seconde, deux secondes... L'avion tremblait toujours et j'attendais avec une impatience monstrueuse, que ses provisions d'énergie le fissent éclater comme une grenade. Mais les secousses souterraines se prolongeaient sans aboutir à l'éruption définitive. Et je ne comprenais rien à cet invisible travail. Je ne comprenais ni ce tremblement, ni cette colère, ni ce délai interminable... cinq secondes, six secondes... Et, brusquement, nous éprouvâmes une sensation de rotation, un choc qui projeta encore par la fenêtre nos cigarettes, pulvérisant l'aile droite, puis rien. Rien qu'une immobilité glacée. Je criais à Prévot :

— Sautez vite !

Il criait en même temps :

— Le feu !

Et déjà nous avions basculé par la fenêtre arrachée. Nous étions debout à vingt mètres. Je disais à Prévot :

— Point de mal ?

Il me répondait :

— Point de mal !

Mais il se frottait le genou.

Je lui disais :

— Tâtez-vous, remuez, jurez-moi que vous n'avez rien de cassé...

Et il me répondait :

— Ce n'est rien, c'est la pompe de secours...

Moi, je pensais qu'il allait s'écrouler brusquement, ouvert de la tête au nombril, mais il me répétait, les yeux fixes :

— C'est la pompe de secours !...

Moi, je pensais : le voilà fou, il va danser...

Mais, détournant enfin son regard de l'avion qui, désormais, était sauvé du feu, il me regarda et reprit :

— Ce n'est rien, c'est la pompe de secours qui m'a accroché au genou.

Il est inexplicable que nous soyons vivants.
Je remonte, ma lampe électrique à la main, les
traces de l'avion sur le sol. A deux cent cinquante mètres de son point d'arrêt nous retrouvons déjà des ferrailles tordues et des tôles dont,
tout le long de son parcours, il a éclaboussé
le sable. Nous saurons, quand viendra le jour,
que nous avons tamponné presque tangen-
tiellement une pente douce au sommet d'un
plateau désert. Au point d'impact un trou dans
le sable ressemble à celui d'un soc de charrue.
L'avion, sans culbuter, a fait son chemin sur
le ventre avec une colère et des mouvements
de queue de reptile. A deux cent soixante-dix
kilomètres-heure il a rampé. Nous devons sans
doute notre vie à ces pierres noires et rondes,
qui roulent librement sur le sable et qui ont
formé plateau à billes.

Prévot débranche les accumulateurs pour
éviter un incendie tardif par court-circuit. Je
me suis adossé au moteur et je réfléchis : j'ai
pu subir, en altitude, pendant quatre heures
quinze, un vent de cinquante kilomètres-heure,
j'étais en effet secoué. Mais, s'il a varié depuis
les prévisions, j'ignore tout de la direction qu'il
a prise. Je me situe donc dans un carré de
quatre cents kilomètres de côté.

Prévot vient s'asseoir à côté de moi, et il me
dit :

— C'est extraordinaire d'être vivants...

Je ne lui réponds rien et je n'éprouve aucune
joie. Il m'est venu une petite idée qui fait son

chemin dans ma tête et me tourmente déjà légèrement.

Je prie Prévot d'allumer sa lampe pour former repère, et je m'en vais droit devant moi, ma lampe électrique à la main. Avec attention je regarde le sol. J'avance lentement, je fais un large demi-cercle, je change plusieurs fois d'orientation. Je fouille toujours le sol comme si je cherchais une bague égarée. Tout à l'heure ainsi je cherchais la braise. J'avance toujours dans l'obscurité, penché sur le disque blanc que je promène. C'est bien ça... c'est bien ça... Je remonte lentement vers l'avion. Je m'assois près de la cabine et je médite. Je cherchais une raison d'espérer et ne l'ai point trouvée. Je cherchais un signe offert par la vie, et la vie ne m'a point fait signe.

— Prévot, je n'ai pas vu un seul brin d'herbe...

Prévot se tait, je ne sais pas s'il m'a compris. Nous en reparlerons au lever du rideau, quand viendra le jour. J'éprouve seulement une grande lassitude, je pense : « A quatre cents kilomètres près, dans le désert!... » Soudain je saute sur mes pieds :

— L'eau!

Réservoirs d'essence, réservoirs d'huile sont crevés. Nos réserves d'eau le sont aussi. Le sable a tout bu. Nous retrouvons un demi-litre de café au fond d'un thermos pulvérisé, un quart de litre de vin blanc au fond d'un autre. Nous filtrons ces liquides et nous les mélangeons. Nous retrouvons aussi un peu de raisin et une orange. Mais je calcule : « En cinq heures de marche, sous le soleil, dans le désert, on épuise ça... »

Nous nous installons dans la cabine pour attendre le jour. Je m'allonge, je vais dormir. Je fais en m'endormant le bilan de notre aventure : nous ignorons tout de notre position. Nous n'avons pas un litre de liquide. Si nous sommes situés à peu près sur la ligne droite, on nous retrouvera en huit jours, nous ne pouvons guère espérer mieux, et il sera trop tard. Si nous avons dérivé en travers, on nous trouvera en six mois. Il ne faut pas compter sur les avions : ils nous rechercheront sur trois mille kilomètres.

— Ah! c'est dommage..., me dit Prévot.
— Pourquoi?
— On pouvait si bien en finir d'un coup!...

Mais il ne faut pas abdiquer si vite. Prévot et moi nous nous ressaisissons. Il ne faut pas perdre la chance, aussi faible qu'elle soit, d'un sauvetage miraculeux par voie des airs. Il ne faut pas, non plus, rester sur place, et manquer peut-être l'oasis proche. Nous marcherons aujourd'hui tout le jour. Et nous reviendrons à notre appareil. Et nous inscrirons, avant de partir, notre programme en grandes majuscules sur le sable.

Je me suis donc roulé en boule et je vais dormir jusqu'à l'aube. Et je suis très heureux de m'endormir. Ma fatigue m'enveloppe d'une multiple présence. Je ne suis pas seul dans le désert, mon demi-sommeil est peuplé de voix, de souvenirs et de confidences chuchotées. Je n'ai pas soif encore, je me sens bien, je me livre au sommeil comme à l'aventure. La réalité perd du terrain devant le rêve...

Ah! ce fut bien différent quand vint le jour!

4

J'ai beaucoup aimé le Sahara. J'ai passé des nuits en dissidence. Je me suis réveillé dans cette étendue blonde où le vent a marqué sa houle comme sur la mer. J'y ai attendu des secours en dormant sous mon aile, mais ce n'était point comparable.

Nous marchons au versant de collines courbes. Le sol est composé de sable entièrement recouvert d'une seule couche de cailloux brillants et noirs. On dirait des écailles de métal, et tous les dômes qui nous entourent brillent comme des armures. Nous sommes tombés dans un monde minéral. Nous sommes enfermés dans un paysage de fer.

La première crête franchie, plus loin s'annonce une autre crête semblable, brillante et noire. Nous marchons en raclant la terre de nos pieds, pour inscrire un fil conducteur, afin de revenir plus tard. Nous avançons face au soleil. C'est contre toute logique que j'ai décidé de faire du plein est, car tout m'incite à croire que j'ai franchi le Nil : la météo, mon temps de vol. Mais j'ai fait une courte tentative vers l'ouest et j'ai éprouvé un malaise que je ne me suis point expliqué. J'ai alors remis l'ouest à demain. Et j'ai provisoirement sacrifié le nord qui cependant mène à la mer. Trois jours plus tard, quand nous déciderons, dans un demi-délire, d'abandonner définitivement notre appareil et de marcher droit devant nous jusqu'à la chute, c'est encore vers l'est que nous partirons. Plus exactement vers l'est-nord-est. Et ceci encore contre toute raison, de même que contre tout espoir. Et nous découvrirons, une fois sauvés, qu'aucune autre direction ne nous eût permis de revenir, car vers le nord, trop épuisés, nous n'eussions pas non plus atteint la mer. Aussi absurde que cela me paraisse, il me semble aujourd'hui que, faute d'aucune indication qui pût peser sur notre choix, j'ai choisi cette direction pour la seule raison qu'elle avait sauvé mon ami Guillaumet dans les Andes, où je l'ai tant cherché. Elle était devenue, pour moi, confusément, la direction de la vie.

Après cinq heures de marche le paysage change. Une rivière de sable semble couler dans une vallée et nous empruntons ce fond de vallée. Nous marchons à grands pas, il nous faut aller le plus loin possible et revenir avant la nuit, si nous n'avons rien découvert. Et tout à coup je stoppe :

— Prévot.

— Quoi ?

— Les traces...

Depuis combien de temps avons-nous oublié de laisser derrière nous un sillage ? Si nous ne le retrouvons pas, c'est la mort.

Nous faisons demi-tour, mais en obliquant sur la droite. Lorsque nous serons assez loin, nous virerons perpendiculairement à notre direction première, et nous recouperons nos traces, là où nous les marquions encore.

Ayant renoué ce fil nous repartons. La chaleur monte, et, avec elle, naissent les mirages.

Mais ce ne sont encore que des mirages élémentaires. De grands lacs se forment, et s'évanouissent quand nous avançons. Nous décidons de franchir la vallée de sable, et de faire l'escalade du dôme le plus élevé afin d'observer l'horizon. Nous marchons déjà depuis six heures. Nous avons dû, à grandes enjambées, totaliser trente-cinq kilomètres. Nous sommes parvenus au faîte de cette croupe noire, où nous nous asseyons en silence. Notre vallée de sable, à nos pieds, débouche dans un désert de sable sans pierres, dont l'éclatante lumière blanche brûle les yeux. A perte de vue c'est le vide. Mais, à l'horizon, des jeux de lumière composent des mirages déjà plus troublants. Forteresses et minarets, masses géométriques à lignes verticales. J'observe aussi une grande tache noire qui simule la végétation, mais elle est surplombée par le dernier de ces nuages qui se sont dissous dans le jour et qui vont renaître ce soir. Ce n'est que l'ombre d'un cumulus.

Il est inutile d'avancer plus, cette tentative ne conduit nulle part. Il faut rejoindre notre avion, cette balise rouge et blanche qui, peut-être, sera repérée par les camarades. Bien que je ne fonde point d'espoir sur ces recherches, elles m'apparaissent comme la seule chance de salut. Mais surtout nous avons laissé là-bas nos dernières gouttes de liquide, et déjà il nous faut absolument les boire. Il nous faut revenir pour vivre. Nous sommes prisonniers de ce cercle de fer : la courte autonomie de notre soif.

Mais qu'il est difficile de faire demi-tour

quand on marcherait peut-être vers la vie! Au-delà des mirages, l'horizon est peut-être riche de cités véritables, de canaux d'eau douce et de prairies. Je sais que j'ai raison de faire demi-tour. Et j'ai, cependant, l'impression de sombrer, quand je donne ce terrible coup de barre.

Nous nous sommes couchés auprès de l'avion. Nous avons parcouru plus de soixante kilomètres. Nous avons épuisé nos liquides. Nous n'avons rien reconnu vers l'est et aucun camarade n'a survolé ce territoire. Combien de temps résisterons-nous? Nous avons déjà tellement soif...

Nous avons bâti un grand bûcher, en empruntant quelques débris à l'aile pulvérisée. Nous avons préparé l'essence et les tôles de magnésium qui donnent un dur éclat blanc. Nous avons attendu que la nuit fût bien noire pour allumer notre incendie... Mais où sont les hommes?

Maintenant la flamme monte. Religieusement nous regardons brûler notre fanal dans le désert. Nous regardons resplendir dans la nuit notre silencieux et rayonnant message. Et je pense que s'il emporte un appel déjà pathétique, il emporte aussi beaucoup d'amour. Nous demandons à boire, mais nous demandons aussi à communiquer. Qu'un autre feu s'allume dans la nuit, les hommes seuls disposent du feu, qu'ils nous répondent!

Je revois les yeux de ma femme. Je ne verrai rien de plus que ces yeux. Ils interrogent. Je revois les yeux de tous ceux qui, peut-être, tiennent à moi. Et ces yeux interrogent. Toute une assemblée de regards me reproche mon silence. Je réponds! Je réponds! Je réponds de toutes mes forces, je ne puis jeter, dans la nuit, de flamme plus rayonnante!

J'ai fait ce que j'ai pu. Nous avons fait ce que nous avons pu : soixante kilomètres presque sans boire. Maintenant nous ne boirons plus. Est-ce notre faute si nous ne pouvons pas attendre bien longtemps? Nous serions restés là, si sagement, à téter nos gourdes. Mais dès la seconde où j'ai aspiré le fond du gobelet d'étain, une horloge s'est mise en marche. Dès la seconde où j'ai sucé la dernière goutte, j'ai commencé à descendre une pente. Qu'y puis-je si le temps m'emporte comme un fleuve? Prévot pleure. Je lui tape sur l'épaule. Je lui dis, pour le consoler :

— Si on est foutus, on est foutus.

Il me répond :

— Si vous croyez que c'est sur moi que je pleure...

Eh! bien sûr, j'ai déjà découvert cette évidence. Rien n'est intolérable. J'apprendrai demain, et après-demain, que rien décidément n'est intolérable. Je ne crois qu'à demi au supplice. Je me suis déjà fait cette réflexion. J'ai cru un jour me noyer, emprisonné dans une cabine, et je n'ai pas beaucoup souffert. J'ai cru parfois me casser la figure et cela ne m'a point paru un événement considérable. Ici non plus je ne connaîtrai guère l'angoisse. Demain j'apprendrai là-dessus des choses plus étranges encore. Et Dieu sait si, malgré mon grand feu, j'ai renoncé à me faire entendre des hommes!...

« Si vous croyez que c'est sur moi... » Oui, oui, voilà qui est intolérable. Chaque fois que je revois ces yeux qui attendent, je ressens une brûlure. L'envie soudaine me prend de me lever et de courir droit devant moi. Là-bas on crie au secours, on fait naufrage!

C'est un étrange renversement des rôles, mais j'ai toujours pensé qu'il en était ainsi. Cependant j'avais besoin de Prévot pour en être tout à fait assuré. Eh bien, Prévot ne connaîtra point non plus cette angoisse devant la mort dont on nous rebat les oreilles. Mais il est quelque chose qu'il ne supporte pas, ni moi non plus.

Ah! J'accepte bien de m'endormir, de m'endormir ou pour la nuit ou pour des siècles. Si je m'endors je ne sais point la différence. Et puis quelle paix! Mais ces cris que l'on va pousser là-bas, ces grandes flammes de désespoir... je n'en supporte pas l'image. Je ne puis pas me croiser les bras devant ces naufrages! Chaque seconde de silence assassine un peu ceux que j'aime. Et une grande rage chemine en moi : pourquoi ces chaînes qui m'empêchent d'arriver à temps et de secourir ceux qui sombrent? Pourquoi notre incendie ne porte-t-il pas notre cri au bout du monde? Patience!... Nous arrivons!... Nous arrivons!... Nous sommes les sauveteurs!

Le magnésium est consumé et notre feu rougit. Il n'y a plus ici qu'un tas de braise sur lequel, penchés, nous nous réchauffons. Fini notre grand message lumineux. Qu'a-t-il mis en marche dans le monde ? Eh! je sais bien qu'il n'a rien mis en marche. Il s'agissait là d'une prière qui n'a pu être entendue.

C'est bien. J'irai dormir.

5

Au petit jour, nous avons recueilli sur les ailes, en les essuyant avec un chiffon, un fond de verre de rosée mêlée de peinture et d'huile. C'était écœurant, mais nous l'avons bu. Faute de mieux nous aurons au moins mouillé nos lèvres. Après ce festin, Prévot me dit :

— Il y a heureusement le revolver.

Je me sens brusquement agressif, et je me retourne vers lui avec une méchante hostilité. Je ne haïrais rien autant, en ce moment-ci, qu'une effusion sentimentale. J'ai un extrême besoin de considérer que tout est simple. Il est simple de naître. Et simple de grandir. Et simple de mourir de soif.

Et du coin de l'œil j'observe Prévot, prêt à le blesser si c'est nécessaire, pour qu'il se taise. Mais Prévot m'a parlé avec tranquillité. Il a traité une question d'hygiène. Il a abordé ce sujet comme il m'eût dit : « Il faudrait nous laver les mains. » Alors nous sommes d'accord. J'ai déjà médité hier en apercevant la gaine de cuir. Mes réflexions étaient raisonnables et non pathétiques. Il n'y a que le social qui soit pathétique. Notre impuissance à rassurer ceux dont nous sommes responsables. Et non le revolver.

On ne nous cherche toujours pas, ou, plus exactement, on nous cherche sans doute ailleurs. Probablement en Arabie. Nous n'entendrons d'ailleurs aucun avion avant demain, quand nous aurons déjà abandonné le nôtre. Cet unique passage, si lointain, nous laissera alors indifférents. Points noirs mêlés à mille points noirs dans le désert, nous ne pourrons prétendre être aperçus. Rien n'est exact des réflexions que l'on m'attribuera sur ce supplice. Je ne subirai aucun supplice. Les sauveteurs me paraîtront circuler dans un autre univers.

Il faut quinze jours de recherches pour retrouver dans le désert un avion dont on ne sait rien, à trois mille kilomètres près : or l'on nous cherche probablement de la Tripolitaine à la Perse. Cependant, aujourd'hui encore, je me réserve cette maigre chance, puisqu'il n'en est point d'autre. Et, changeant de tactique, je décide de m'en aller seul en exploration. Prévot préparera un feu et l'allumera en cas de visite, mais nous ne serons pas visités.

Je m'en vais donc, et je ne sais même pas si j'aurai la force de revenir. Il me revient à la mémoire ce que je sais du désert de Libye. Il subsiste, dans le Sahara, 40 % d'humidité, quand elle tombe ici à 18 %. Et la vie s'évapore comme une vapeur. Les Bédouins, les voyageurs, les officiers coloniaux, enseignent que l'on tient dix-neuf heures sans boire. Après vingt heures les yeux se remplissent de lumière et la fin commence : la marche de la soif est foudroyante.

Mais ce vent du nord-est, ce vent anormal qui nous a trompés, qui, à l'opposé de toute prévision, nous a cloués sur ce plateau, maintenant sans doute nous prolonge. Mais quel délai nous accordera-t-il avant l'heure des premières lumières ?

Je m'en vais donc, mais il me semble que je m'embarque en canoë sur l'océan.

Et cependant, grâce à l'aurore, ce décor me semble moins funèbre. Et je marche d'abord les mains dans les poches, en maraudeur. Hier soir nous avons tendu des collets à l'orifice de quelques terriers mystérieux, et le braconnier en moi se réveille. Je m'en vais d'abord vérifier les pièges : ils sont vides.

Je ne boirai donc point de sang. A vrai dire je ne l'espérais pas.

Si je ne suis guère déçu, par contre, je suis intrigué. De quoi vivent-ils ces animaux, dans le désert ? Ce sont sans doute des « fénechs » ou renards des sables, petits carnivores gros comme des lapins et ornés d'énormes oreilles. Je ne résiste pas à mon désir et je suis les traces de l'un d'eux. Elles m'entraînent vers une étroite rivière de sable où tous les pas s'impriment en clair. J'admire la jolie palme que forment trois doigts en éventail. J'imagine mon ami trottant doucement à l'aube, et léchant la rosée sur les pierres. Ici les traces s'espacent : mon fénech a couru. Ici un compagnon est venu le rejoindre et ils ont trotté côte à côte. J'assiste ainsi avec une joie bizarre à cette promenade matinale. J'aime ces signes de la vie. Et j'oublie un peu que j'ai soif...

Efin j'aborde les garde-manger de mes renards. Il émerge ici au ras du sable, tous les cent mètres, un minuscule arbuste sec de la taille d'une soupière et aux tiges chargées de petits escargots dorés. Le fénech, à l'aube, va aux provisions. Et je me heurte ici à un grand mystère naturel.

Mon fénech ne s'arrête pas à tous les arbustes. Il en est, chargés d'escargots, qu'il dédaigne. Il en est dont il fait le tour avec une visible circonspection. Il en est qu'il aborde, mais sans les ravager. Il en retire deux ou trois coquilles, puis il change de restaurant.

Joue-t-il à ne pas apaiser sa faim d'un seul coup, pour prendre un plaisir plus durable à sa promenade matinale ? Je ne le crois pas. Son jeu coïncide trop bien avec une tactique indispensable. Si le fénech se rassasiait des produits du premier arbuste, il le dépouillerait, en deux ou trois repas, de sa charge vivante. Et ainsi, d'arbuste en arbuste, il anéantirait son élevage. Mais le fénech se garde bien de gêner l'ensemencement. Non seulement il s'adresse, pour un seul repas, à une centaine de ces touffes brunes, mais il ne prélève jamais deux coquilles voisines sur la même branche. Tout se passe comme s'il avait la conscience du risque. S'il se rassasiait sans précaution, il n'y aurait plus d'escargots. S'il n'y avait point d'escargots, il n'y aurait point de fénechs.

Les traces me ramènent au terrier. Le fénech est là qui m'écoute sans doute, épouvanté par le grondement de mon pas. Et je lui dis : « Mon petit renard, je suis foutu, mais c'est curieux, cela ne m'a pas empêché de m'intéresser à ton humeur... »

Et je reste là à rêver et il me semble que l'on s'adapte à tout. L'idée qu'il mourra peut-être trente ans plus tard ne gâte pas les joies d'un homme. Trente ans, trois jours... c'est une question de perspective.

Mais il faut oublier certaines images...

Maintenant je poursuis ma route et déjà, avec la fatigue, quelque chose en moi se transforme. Les mirages, s'il n'y en a point, je les invente...

— Ohé!

J'ai levé les bras en criant, mais cet homme qui gesticulait n'était qu'un rocher noir. Tout s'anime déjà dans le désert. J'ai voulu réveiller ce Bédouin qui dormait et il s'est changé en tronc d'arbre noir. En tronc d'arbre? Cette présence me surprend et je me penche. Je veux soulever une branche brisée : elle est de marbre! Je me redresse et je regarde autour de moi; j'aperçois d'autres marbres noirs. Une forêt antédiluvienne jonche le sol de ses fûts brisés. Elle s'est écroulée comme une cathédrale, voilà cent mille ans, sous un ouragan de genèse. Et les siècles ont roulé jusqu'à moi ces tronçons de colonnes géantes polis comme des pièces d'acier, pétrifiés, vitrifiés, couleur d'encre. Je distingue encore le nœud des branches, j'aperçois les torsions de la vie, je compte les anneaux du tronc. Cette forêt, qui fut pleine d'oiseaux et de musique, a été frappée de malédiction et changée en sel. Et je sens que ce paysage m'est hostile. Plus noires que cette armure de fer des collines, ces épaves solennelles me refusent. Qu'ai-je à faire ici, moi, vivant, parmi ces marbres incorruptibles? Moi, périssable, moi, dont le corps se dissoudra, qu'ai-je à faire ici dans l'éternité?

Depuis hier j'ai déjà parcouru près de quatre-vingts kilomètres. Je dois sans doute à la soif ce vertige. Ou au soleil. Il brille sur ces fûts qui semblent glacés d'huile. Il brille sur cette carapace universelle. Il n'y a plus ici ni sable ni renards. Il n'y a plus ici qu'une immense enclume. Et je marche sur cette enclume. Et je sens, dans ma tête, le soleil retentir. Ah! là-bas...

— Ohé! Ohé!

— Il n'y a rien là-bas, ne t'agite pas, c'est le délire.

Je me parle ainsi à moi-même, car j'ai besoin de faire appel à ma raison. Il m'est difficile de refuser ce que je vois. Il m'est si sidifficile de ne pas courir vers cette caravane en marche... là... tu vois!...

— Imbécile, tu sais bien que c'est toi qui l'inventes...

— Alors rien au monde n'est véritable...

Rien n'est véritable sinon cette croix à vingt kilomètres de moi sur la colline. Cette croix ou ce phare...

Mais ce n'est pas la direction de la mer. Alors c'est une croix. Toute la nuit j'ai étudié la carte. Mon travail était inutile, puisque j'ignorais ma position. Mais je me penchais sur tous les signes qui m'indiquaient la présence de l'homme. Et, quelque part, j'ai découvert un petit cercle surmonté d'une croix semblable. Je me suis reporté à la légende et j'y ai lu : « Établissement religieux. » A côté de la croix j'ai vu un point noir. Je me suis reporté encore à la légende, et j'y ai lu : « Puits permanent. » J'ai reçu un grand choc au cœur et j'ai relu tout haut : « Puits permanent... Puits permanent... Puits permanent! » Ali-Baba et ses trésors, est-ce que ça compte en regard d'un puits permanent? Un peu plus loin j'ai remarqué deux cercles blancs. J'ai lu sur la légende : « Puits temporaire. » C'était déjà moins beau. Puis tout autour il n'y avait plus rien. Rien.

Le voilà mon établissement religieux! Les moines ont dressé une grande croix sur la colline pour appeler les naufragés! Et je n'ai qu'à marcher vers elle. Et je n'ai qu'à courir vers ces dominicains...

— Mais il n'y a que des monastères coptes en Libye.

— ... Vers ces dominicains studieux Ils possèdent une belle cuisine fraîche aux carreaux rouges et, dans la cour, une merveilleuse pompe rouillée. Sous la pompe rouillée, sous la pompe rouillée, vous l'auriez deviné... sous la pompe rouillée c'est le puits permanent! Ah! ça va être une fête là-bas quand je vais sonner à la porte, quand je vais tirer sur la grande cloche...

— Imbécile, tu décris une maison de Provence où il n'y a d'ailleurs point de cloche.

— ... Quand je vais tirer sur la grande cloche! Le portier lèvera les bras au ciel et me criera : « Vous êtes un envoyé du Seigneur! » et il appellera tous les moines. Et ils se précipiteront. Et ils me fêteront comme un enfant pauvre. Et ils me pousseront vers la cuisine. Et ils me diront : « Une seconde, une seconde, mon fils... nous courons jusqu'au puits permanent... »

« Et moi, je tremblerai de bonheur... »

Mais non, je ne veux pas pleurer, pour la

seule raison qu'il n'y a plus de croix sur la colline.

Les promesses de l'ouest ne sont que mensonges. J'ai viré plein nord.

Le Nord est rempli, lui, au moins par le chant de la mer.

Ah! cette crête franchie, l'horizon s'étale. Voici la plus belle cité du monde.

« Tu sais bien que c'est un mirage... »

Je sais très bien que c'est un mirage. On ne me trompe pas, moi! Mais s'il me plaît, à moi, de m'enfoncer vers un mirage? S'il me plaît, à moi d'espérer? S'il me plaît d'aimer cette ville crénelée et toute pavoisée de soleil? S'il me plaît de marcher tout droit, à pas agiles, puisque je ne sens plus ma fatigue, puisque je suis heureux... Prévot et son revolver, laissez-moi rire! Je préfère mon ivresse. Je suis ivre. Je meurs de soif!

Le crépuscule m'a dégrisé. Je me suis arrêté brusquement, effrayé de me sentir si loin. Au crépuscule le mirage meurt. L'horizon s'est déshabillé de sa pompe, de ses palais, de ses vêtements sacerdotaux. C'est un horizon de désert.

— Tu es bien avancé! La nuit va te prendre, tu devras attendre le jour, et demain tes traces seront effacées et tu ne seras plus nulle part.

— Alors autant marcher encore droit devant moi... A quoi bon faire encore demi-tour? Je ne veux plus donner ce coup de barre quand peut-être j'allais ouvrir, quand j'ouvrais les bras sur la mer...

— Où as-tu vu la mer? Tu ne l'atteindras

d'ailleurs jamais. Trois cents kilomètres sans doute t'en séparent. Et Prévot guette près du Simoun! Et il a, peut-être, été aperçu par une caravane...

Oui, je vais revenir, mais je vais d'abord appeler les hommes :

— Ohé!

Cette planète, bon Dieu, elle est cependant habitée...

— Ohé! les hommes!...

Je m'enroue. Je n'ai plus de voix. Je me sens ridicule de crier ainsi... Je lance une fois encore :

— Les hommes!

Ça rend un son emphatique et prétentieux. Et je fais demi-tour.

Après deux heures de marche, j'ai aperçu les flammes que Prévot, qui s'épouvantait de me croire perdu, jette vers le ciel. Ah!... cela m'est tellement indifférent...

Encore une heure de marche... Encore cinq cents mètres. Encore cent mètres. Encore cinquante.

— Ah!

Je me suis arrêté stupéfait. La joie va m'inonder le cœur et j'en contiens la violence. Prévot, illuminé par le brasier, cause avec deux Arabes adossés au moteur. Il ne m'a pas encore aperçu. Il est trop occupé par sa propre joie. Ah! si j'avais attendu comme lui... je serais déjà délivré! Je crie joyeusement :

— Ohé!

Les deux Bédouins sursautent et me regardent. Prévot les quitte et s'avance seul au-devant de moi. J'ouvre les bras. Prévot me

retient par le coude, j'allais donc tomber? Je
lui dis :

— Enfin, ça y est.

— Quoi?

— Les Arabes!

— Quels Arabes?

— Les Arabes qui sont là, avec vous!...

Prévot me regarde drôlement, et j'ai l'impression qu'il me confie, à contrecœur, un
lourd secret :

— Il n'y a point d'Arabes...

Sans doute, cette fois, je vais pleurer.

6

On vit ici dix-neuf heures sans eau, et
qu'avons-nous bu depuis hier soir? Quelques
gouttes de rosée à l'aube! Mais le vent de nord-
est règne toujours et ralentit un peu notre éva-
poration. Cet écran favorise encore dans le ciel
les hautes constructions de nuages. Ah! s'ils
dérivaient jusqu'à nous, s'il pouvait pleuvoir!
Mais il ne pleut jamais dans le désert.

— Prévot, découpons en triangles un parachute. Nous fixerons ces panneaux au sol avec
des pierres. Et si le vent n'a pas tourné, à
l'aube, nous recueillerons la rosée dans un des
réservoirs d'essence, en tordant nos linges.

Nous avons aligné les six panneaux blancs
sous les étoiles. Prévot a démantelé un réservoir.
Nous n'avons plus qu'à attendre le jour.

Prévot, dans les débris, a découvert une

orange miraculeuse. Nous nous la partageons. J'en suis bouleversé, et cependant c'est peu de chose quand il nous faudrait vingt litres d'eau.

Couché près de notre feu nocturne je regarde ce fruit lumineux et je me dis : « Les hommes ne savent pas ce qu'est une orange... » Je me dis aussi : « Nous sommes condammés et encore une fois cette certitude ne me frustre pas de mon plaisir. Cette demi-orange que je serre dans la main m'apporte une des plus grandes joies de ma vie... » Je m'allonge sur le dos, je suce mon fruit, je compte les étoiles filantes. Me voici, pour une minute, infiniment heureux. Et je me dis encore : « Le monde dans l'ordre duquel nous vivons, on ne peut pas le deviner si l'on n'y est pas enfermé soi-même. » Je comprends aujourd'hui seulement la cigarette et le verre de rhum du condamné. Je ne concevais pas qu'il acceptât cette misère. Et cependant il y prend beaucoup de plaisir. On imagine cet homme courageux s'il sourit. Mais il sourit de boire son rhum. On ne sait pas qu'il a changé de perspective et qu'il a fait, de cette dernière heure, une vie humaine.

Nous avons recueilli une énorme quantité d'eau : deux litres peut-être. Finie la soif! Nous sommes sauvés, nous allons boire!

Je puise dans mon réservoir le contenu d'un gobelet d'étain, mais cette eau est d'un beau vert-jaune, et, dès la première gorgée, je lui trouve un goût si effroyable, que, malgré la soif qui me tourmente, avant d'achever cette gorgée, je reprends ma respiration. Je boirais cependant de la boue, mais ce goût de métal empoisonné est plus fort que ma soif.

Je regarde Prévot qui tourne en rond les yeux au sol, comme s'il cherchait attentivement quelque chose. Soudain il s'incline et vomit, sans s'interrompre de tourner en rond. Trente secondes plus tard, c'est mon tour. Je suis pris de telles convulsions que je rends à genoux, les doigts enfoncés dans le sable. Nous ne nous parlons pas, et, durant un quart d'heure, nous demeurons ainsi secoués, ne rendant plus qu'un peu de bile.

C'est fini. Je ne ressens plus qu'une lointaine nausée. Mais nous avons perdu notre dernier espoir. J'ignore si notre échec est dû à un enduit du parachute ou au dépôt de tétrachlorure de carbone qui entartre le réservoir. Il nous eût fallu un autre récipient ou d'autres linges.

Alors, dépêchons-nous! Il fait jour. En route! Nous allons fuir ce plateau maudit, et marcher à grands pas, droit devant nous, jusqu'à la chute. C'est l'exemple de Guillaumet dans les Andes que je suis : je pense beaucoup à lui depuis hier. J'enfreins la consigne formelle qui est de demeurer auprès de l'épave. On ne nous cherchera plus ici.

Encore une fois nous découvrons que nous ne sommes pas les naufragés. Les naufragés, ce sont ceux qui attendent! Ceux que menace notre silence. Ceux qui sont déjà déchirés par une abominable erreur. On ne peut pas ne pas courir vers eux. Guillaumet aussi, au retour des

Andes, m'a raconté qu'il courait vers les naufragés! Ceci est une vérité universelle.

— Si j'étais seul au monde, me dit Prévot, je me coucherais.

Et nous marchons droit devant nous vers l'est-nord-est. Si le Nil a été franchi nous nous enfonçons, à chaque pas, plus profondément, dans l'épaisseur du désert d'Arabie.

De cette journée-là, je ne me souviens plus. Je ne me souviens que de ma hâte. Ma hâte vers n'importe quoi, vers ma chute. Je me rappelle aussi avoir marché en regardant la terre, j'étais écœuré par les mirages. De temps en temps, nous avons rectifié à la boussole notre direction. Nous nous sommes aussi étendus parfois pour souffler un peu. J'ai aussi jeté quelque part mon caoutchouc que je conservais pour la nuit. Je ne sais rien de plus. Mes souvenirs ne se renouent qu'avec la fraîcheur du soir. Moi aussi j'étais comme du sable, et tout, en moi, s'est effacé.

Nous décidons, au coucher du soleil, de camper. Je sais bien que nous devrions marcher encore : cette nuit sans eau nous achèvera. Mais nous avons emporté avec nous les panneaux de toile du parachute. Si le poison ne vient pas de l'enduit il se pourrait que, demain matin, nous puissions boire. Il faut étendre nos pièges à rosée, une fois encore, sous les étoiles.

Mais au nord, le ciel est ce soir pur de nuages. Mais le vent a changé de goût. Il a aussi changé de direction. Nous sommes frôlés déjà par le souffle chaud du désert. C'est le réveil du fauve! Je le sens qui nous lèche les mains et le visage.

Mais si je marche encore je ne ferai pas dix kilomètres. Depuis trois jours, sans boire, j'en ai couvert plus de cent quatre-vingts...

Mais, à l'instant de faire halte :

— Je vous jure que c'est un lac, me dit Prévot.

— Vous êtes fou!

— A cette heure-ci, au crépuscule, cela peut-il être un mirage?

Je ne réponds rien. J'ai renoncé, depuis long-temps, à croire mes yeux. Ce n'est pas un mirage, peut-être, mais alors, c'est une invention de notre folie. Comment Prévot croit-il encore?

Prévot s'obstine :

— C'est à vingt minutes, je vais aller voir...

Cet entêtement m'irrite :

— Allez voir, allez prendre l'air... c'est excellent pour la santé. Mais s'il existe, votre lac, il est salé, sachez-le bien. Salé ou non, il est au diable. Et par-dessus tout il n'existe pas.

Prévot, les yeux fixes, s'éloigne déjà. Je les connais, ces attractions souveraines! Et moi je pense : « Il y a aussi des somnambules qui vont se jeter droit sous les locomotives. » Je sais que Prévot ne reviendra pas. Ce vertige du vide le prendra et il ne pourra plus faire demi-tour. Et il tombera un peu plus loin. Et il mourra de son côté et moi du mien. Et tout cela a si peu d'importance!...

Je n'estime pas d'un très bon augure cette indifférence qui m'est venue. A demi noyé, j'ai ressenti la même paix. Mais j'en profite pour écrire une lettre posthume, à plat ventre sur des pierres. Ma lettre est très belle. Très digne. J'y

prodigue de sages conseils. J'éprouve à la relire un vague plaisir de vanité. On dira d'elle :
— Voilà une admirable lettre posthume! Quel dommage qu'il soit mort!

Je voudrais aussi connaître où j'en suis. J'essaie de former de la salive : depuis combien d'heures n'ai-je point craché? Je n'ai plus de salive. Si je garde la bouche fermée, une matière gluante scelle mes lèvres. Elle sèche et forme, au-dehors, un bourrelet dur. Cependant, je réussis encore mes tentatives de déglutition. Et mes yeux ne se remplissent point encore de lumières. Quand ce radieux spectacle me sera offert, c'est que j'en aurai pour deux heures.

Il fait nuit. La lune a grossi depuis l'autre nuit. Prévot ne revient pas. Je suis allongé sur le dos et je mûris ces évidences. Je retrouve en moi une vieille impression. Je cherche à me la définir. Je suis... Je suis... Je suis embarqué! Je me rendais en Amérique du Sud, je m'étais étendu ainsi sur le pont supérieur. La pointe du mât se promenait de long en large, très lentement, parmi les étoiles. Il manque ici un mât, mais je suis embarqué quand même, vers une destination qui ne dépend plus de mes efforts. Des négriers m'ont jeté, lié, sur un navire.

Je songe à Prévot qui ne revient pas. Je ne l'ai pas entendu se plaindre une seule fois. C'est très bien. Il m'eût été insupportable d'entendre geindre. Prévot est un homme.

Ah! A cinq cents mètres de moi le voilà qui agite sa lampe! Il a perdu ses traces! Je n'ai pas de lampe pour lui répondre, je me lève, je crie, mais il n'entend pas...

Une seconde lampe s'allume à deux cents

mètres de la sienne, une troisième lampe. Bon
Dieu, c'est une battue et l'on me cherche!

Je crie :

— Ohé!

Mais on ne m'entend pas.

Les trois lampes poursuivent leurs signaux
d'appel.

Je ne suis pas fou, ce soir. Je me sens bien. Je
suis en paix. Je regarde avec attention. Il y a
trois lampes à cinq cents mètres.

— Ohé!

Mais on ne m'entend toujours pas.

Alors je suis pris d'une courte panique. La
seule que je connaîtrai. Ah! je puis encore courir : « Attendez... Attendez... » Ils vont faire
demi-tour! Ils vont s'éloigner, chercher ailleurs,
et moi je vais tomber! Je vais tomber sur le seuil
de la vie, quand il était des bras pour me recevoir!...

— Ohé! Ohé!

— Ohé!

Ils m'ont entendu. Je suffoque, je suffoque
mais je cours encore. Je cours dans la direction
de la voix : « Ohé! » j'aperçois Prévot et je
tombe.

— Ah! Quand j'ai aperçu toutes ces lampes!...

— Quelles lampes?

C'est exact, il est seul.

Cette fois-ci je n'éprouve aucun désespoir,
mais une sourde colère.

— Et votre lac?

— Il s'éloignait quand j'avançais. Et j'ai
marché vers lui pendant une demi-heure. Après
une demi-heure il était trop loin. Je suis revenu.

Mais je suis sûr maintenant que c'est un lac...

— Vous êtes fou, absolument fou. Ah! pourquoi avez-vous fait cela?... Pourquoi?

Qu'a-t-il fait? Pourquoi l'a-t-il fait? Je pleurerais d'indignation, et j'ignore pourquoi je suis indigné. Et Prévot m'explique d'une voix qui s'étrangle :

— J'aurais tant voulu trouver à boire... Vos lèvres sont tellement blanches!

Ah! Ma colère tombe... Je passe ma main sur mon front, comme si je me réveillais, et je me sens triste. Et je raconte doucement :

— J'ai vu, comme je vous vois, j'ai vu clairement, sans erreur possible, trois lumières... Je vous dis que je les ai vues, Prévot!

Prévot se tait d'abord :

— Eh oui, avoue-t-il enfin, ça va mal.

La terre rayonne vite sous cette atmosphère sans vapeur d'eau. Il fait déjà très froid. Je me lève et je marche. Mais bientôt je suis pris d'un insupportable tremblement. Mon sang déshydraté circule très mal, et un froid glacial me pénètre, qui n'est pas seulement le froid de la nuit. Mes mâchoires claquent et tout mon corps est agité de soubresauts. Je ne puis plus me servir d'une lampe électrique tant ma main la secoue. Je n'ai jamais été sensible au froid, et cependant je vais mourir de froid, quel étrange effet de la soif!

J'ai laissé tomber mon caoutchouc quelque part, las de le porter dans la chaleur. Et le vent peu à peu empire. Et je découvre que dans le désert il n'est point de refuge. Le désert est lisse comme un marbre. Il ne forme point d'ombre pendant le jour, et la nuit il vous livre tout nu au vent. Pas un arbre, pas une haie, pas une pierre qui m'eût abrité. Le vent me charge comme une cavalerie en terrain découvert. Je tourne en rond pour le fuir. Je me couche et je me relève. Couché ou debout je suis exposé à ce fouet de glace. Je ne puis courir, je n'ai plus de forces, je ne puis fuir les assassins et je tombe à genoux, la tête dans les mains, sous le sabre!

Je m'en rends compte un peu plus tard ; je me suis relevé, et je marche droit devant moi, toujours grelottant! Où suis-je? Ah! je viens de partir, j'entends Prévot! Ce sont ses appels qui m'ont réveillé...

Je reviens vers lui, toujours agité par ce tremblement, par ce hoquet de tout le corps. Et je me dis : « Ce n'est pas le froid. C'est autre chose. C'est la fin. » Je me suis déjà trop déshydraté. J'ai tant marché, avant-hier, et hier quand j'allais seul.

Cela me peine de finir par le froid. Je préférerais mes mirages intérieurs. Cette croix, ces Arabes, ces lampes. Après tout, cela commençait à m'intéresser. Je n'aime pas être flagellé comme un esclave...

Me voici encore à genoux.

Nous avons emporté un peu de pharmacie. Cent grammes d'éther pur, cent grammes d'alcool à 90 et un flacon d'iode. J'essaie de boire deux ou trois gorgées d'éther pur. C'est comme si j'avalais des couteaux. Puis un peu d'alcool à 90, mais cela me ferme la gorge.

Je creuse une fosse dans le sable, je m'y couche, et je me recouvre de sable. Mon visage seul émerge. Prévot a découvert des brindilles et allume un feu dont les flammes seront vite taries. Prévot refuse de s'enterrer sous le sable. Il préfère battre la semelle. Il a tort.

Ma gorge demeure serrée, c'est mauvais signe, et cependant je me sens mieux. Je me sens calme. Je me sens calme au-delà de toute espérance. Je m'en vais malgré moi en voyage, ligoté sur le pont de mon vaisseau de négriers sous les étoiles. Mais je ne suis peut-être pas très malheureux...

Je ne sens plus le froid, à condition de ne pas remuer un muscle. Alors, j'oublie mon corps endormi sous le sable. Je ne bougerai plus, et ainsi je ne souffrirai plus jamais. D'ailleurs véritablement, l'on souffre si peu... Il y a, derrière tous ces tourments, l'orchestration de la fatigue et du délire. Et tout se change en livre d'images, en conte de fées un peu cruel... Tout à l'heure, le vent me chassait à courre et, pour le fuir, je tournais en rond comme une bête. Puis j'ai eu du mal à respirer : un genou m'écrasait la poitrine. Un genou. Et je me débattais contre le poids de l'ange. Je ne fus jamais seul dans le désert. Maintenant que je ne crois plus en ce qui m'entoure, je me retire chez moi, je ferme les yeux et je ne remue plus un cil. Tout ce torrent d'images m'emporte, je le sens, vers un songe tranquille : les fleuves se calment dans l'épaisseur de la mer.

Adieu, vous que j'aimais. Ce n'est point ma faute si le corps humain ne peut résister trois jours sans boire. Je ne me croyais pas prisonnier ainsi des fontaines. Je ne soupçonnais pas une aussi courte autonomie. On croit que l'homme peut s'en aller droit devant soi. On croit que l'homme est libre... On ne voit pas la corde qui le rattache au puits, qui le rattache, comme un cordon ombilical, au ventre de la terre. S'il fait un pas de plus, il meurt.

A part votre souffrance, je ne regrette rien. Tout compte fait, j'ai eu la meilleure part. Si je rentrais, je recommencerais. J'ai besoin de vivre. Dans les villes, il n'y a plus de vie humaine.

Il ne s'agit point ici d'aviation. L'avion, ce n'est pas une fin, c'est un moyen. Ce n'est pas pour l'avion que l'on risque sa vie. Ce n'est pas non plus pour sa charrue que le paysan laboure. Mais par l'avion, on quitte les villes et leurs comptables, et l'on retrouve une vérité paysanne.

On fait un travail d'homme et l'on connaît des soucis d'homme. On est en contact avec le vent, avec les étoiles, avec la nuit, avec le sable, avec la mer. On ruse avec les forces naturelles. On attend l'aube comme le jardinier attend le printemps. On attend l'escale comme une Terre promise, et l'on cherche sa vérité dans les étoiles.

Je ne me plaindrai pas. Depuis trois jours, j'ai marché, j'ai eu soif, j'ai suivi des pistes dans le sable, j'ai fait de la rosée mon espérance. J'ai cherché à joindre mon espèce, dont j'avais oublié où elle logeait sur la terre. Et ce sont là des soucis de vivants. Je ne puis pas ne pas les juger plus importants que le choix, le soir, d'un music-hall.

Je ne comprends plus ces populations des trains de banlieue, ces hommes qui se croient des hommes, et qui cependant sont réduits, par une pression qu'ils ne sentent pas, comme les fourmis, à l'usage qui en est fait. De quoi remplissent-ils, quand ils sont libres, leurs absurdes petits dimanches?

Une fois, en Russie, j'ai entendu jouer du Mozart dans une usine. Je l'ai écrit. J'ai reçu deux cents lettres d'injures. Je n'en veux pas à ceux qui préfèrent le beuglant. Ils ne connaissent point d'autre chant. J'en veux au tenancier du beuglant. Je n'aime pas que l'on abîme les hommes.

Moi je suis heureux dans mon métier. Je me sens paysan des escales. Dans le train de banlieue, je sens mon agonie bien autrement qu'ici! Ici, tout compte fait, quel luxe!...

Je ne regrette rien. J'ai joué, j'ai perdu. C'est dans l'ordre de mon métier. Mais, tout de même, je l'ai respiré, le vent de la mer.

Ceux qui l'ont goûté une fois n'oublient pas cette nourriture. N'est-ce pas, mes camarades? Et il ne s'agit pas de vivre dangereusement. Cette formule est prétentieuse. Les toréadors ne me plaisent guère. Ce n'est pas le danger que j'aime. Je sais ce que j'aime. C'est la vie.

Il me semble que le ciel va blanchir. Je sors un bras du sable. J'ai un panneau à portée de la main, je le tâte, mais il reste sec. Attendons. La rosée se dépose à l'aube. Mais l'aube blanchit sans mouiller nos linges. Alors mes réflexions s'embrouillent un peu et je m'entends dire : « Il y a ici un cœur sec... un cœur sec... un cœur sec qui ne sait point former de larmes!... »

« En route, Prévot! Nos gorges ne se sont pas fermées encore : il faut marcher. »

7

Il souffle ce vent d'ouest qui sèche l'homme
en dix-neuf heures. Mon œsophage n'est pas
fermé encore, mais il est dur et douloureux.
J'y devine quelque chose qui racle. Bientôt
commencera cette toux, que l'on m'a décrite, et
que j'attends. Ma langue me gêne. Mais le plus
grave est que j'aperçois déjà des taches brillantes.
Quand elles se changeront en flammes, je me
coucherai.

Nous marchons vite. Nous profitons de la
fraîcheur du petit jour. Nous savons bien qu'au
grand soleil, comme l'on dit, nous ne marcherons
plus. Au grand soleil...

Nous n'avons pas le droit de transpirer. Ni
même celui d'attendre. Cette fraîcheur n'est
qu'une fraîcheur à dix-huit pour cent d'humidité. Ce vent qui souffle vient du désert. Et,
sous cette caresse menteuse et tendre, notre sang
s'évapore.

Nous avons mangé un peu de raisin le premier
jour. Depuis trois jours, une demi-orange et une
moitié de madeleine. Avec quelle salive eussions-
nous mâché notre nourriture ? Mais je n'éprouve
aucune faim, je n'éprouve que la soif. Et il me
semble que désormais, plus que la soif, j'éprouve
les effets de la soif. Cette gorge dure. Cette
langue de plâtre. Ce raclement et cet affreux
goût dans la bouche. Ces sensations-là sont
nouvelles pour moi. Sans doute l'eau les guéri-
rait-elle, mais je n'ai point de souvenirs qui

leur associent ce remède. La soif devient de plus en plus une maladie et de moins en moins un désir.

Il me semble que les fontaines et les fruits m'offrent déjà des images moins déchirantes. J'oublie le rayonnement de l'orange, comme il me semble avoir oublié mes tendresses. Déjà peut-être j'oublie tout.

Nous nous sommes assis, mais il faut repartir. Nous renonçons aux longues étapes. Après cinq cents mètres de marche nous croulons de fatigue. Et j'éprouve une grande joie à m'étendre. Mais il faut repartir.

Le paysage change. Les pierres s'espacent. Nous marchons maintenant sur du sable. A deux kilomètres devant nous, des dunes. Sur ces dunes quelques taches de végétation basse. A l'armure d'acier, je préfère le sable. C'est le désert blond. C'est le Sahara. Je crois le reconnaître...

Maintenant nous nous épuisons en deux cents mètres.

— Nous allons marcher tout de même, au au moins jusqu'à ces arbustes.

C'est une limite extrême. Nous vérifierons en voiture, lorsque nous remonterons nos traces, huit jours plus tard, pour chercher le Simoun, que cette dernière tentative fut de quatre-vingts kilomètres. J'en ai donc déjà couvert près de deux cents. Comment poursuivrais-je?

Hier, je marchais sans espoir. Aujourd'hui, ces mots ont perdu leur sens. Aujourd'hui, nous marchons parce que nous marchons. Ainsi les bœufs sans doute, au labour. Je rêvais hier à des paradis d'orangers. Mais aujourd'hui, il n'est

plus, pour moi, de paradis. Je ne crois plus à
l'existence des oranges.

Je ne découvre plus rien en moi, sinon une
grande sécheresse de cœur. Je vais tomber et
ne connais point le désespoir. Je n'ai même pas
de peine. Je le regrette : le chagrin me semble-
rait doux comme l'eau. On a pitié de soi et l'on
se plaint comme un ami. Mais je n'ai plus d'ami
au monde.

Quand on me retrouvera, les yeux brûlés, on
imaginera que j'ai beaucoup appelé et beaucoup
souffert. Mais les élans, mais les regrets, mais
les tendres souffrances, ce sont encore des
richesses. Et moi je n'ai plus de richesses. Les
fraîches jeunes filles, au soir de leur premier
amour, connaissent le chagrin et pleurent. Le
chagrin est lié aux frémissements de la vie. Et
moi je n'ai plus de chagrin...

Le désert, c'est moi. Je ne forme plus de
salive, mais je ne forme plus, non plus, les
images douces vers lesquelles j'aurais pu gémir.
Le soleil a séché en moi la source des larmes.

Et cependant, qu'ai-je aperçu ? Un souffle
d'espoir a passé sur moi comme une risée sur la
mer. Quel est le signe qui vient d'alerter mon
instinct avant de frapper ma conscience ? Rien
n'a changé, et cependant tout a changé. Cette
nappe de sable, ces tertres et ces légères plaques
de verdure ne composent plus un paysage, mais
une scène. Une scène vide encore, mais toute
préparée. Je regarde Prévot. Il est frappé du
même étonnement que moi, mais il ne comprend
pas non plus ce qu'il éprouve.

Je vous jure qu'il va se passer quelque chose...
Je vous jure que le désert s'est animé. Je

vous jure que cette absence, que ce silence sont tout à coup plus émouvants qu'un tumulte de place publique...

Nous sommes sauvés, il y a des traces dans le sable !...

Ah ! nous avions perdu la piste de l'espèce humaine, nous étions retranchés d'avec la tribu, nous nous étions retrouvés seuls au monde, oubliés par une migration universelle, et voici que nous découvrons, imprimés dans le sable, les pieds miraculeux de l'homme.

— Ici, Prévot, deux hommes se sont séparés...
— Ici, un chameau s'est agenouillé...
— Ici...

Et cependant, nous ne sommes point sauvés encore. Il ne nous suffit pas d'attendre. Dans quelques heures, on ne pourra plus nous secourir. La marche de la soif, une fois la toux commencée, est trop rapide. Et notre gorge...

Mais je crois en cette caravane, qui se balance quelque part, dans le désert.

Nous avons donc marché encore, et tout à coup j'ai entendu le chant du coq. Guillaumet m'avait dit : « Vers la fin, j'entendais des coqs dans les Andes. J'entendais aussi des chemins de fer... »

Je me souviens de son récit à l'instant même où le coq chante et je me dis : « Ce sont mes yeux qui m'ont trompé d'abord. C'est sans doute l'effet de la soif. Mes oreilles ont mieux résisté... » Mais Prévot m'a saisi par le bras :

— Vous avez entendu ?
— Quoi ?
— Le coq !

156

— Alors... Alors...

Alors, bien sûr, imbécile, c'est la vie...

J'ai eu une dernière hallucination : celle de trois chiens qui se poursuivaient. Prévot, qui regardait aussi, n'a rien vu. Mais nous sommes deux à tendre les bras vers ce Bédouin. Nous sommes deux à user vers lui tout le souffle de nos poitrines. Nous sommes deux à rire de bonheur !...

Mais nos voix ne portent pas à trente mètres. Nos cordes vocales sont déjà sèches. Nous nous parlions tout bas l'un à l'autre, et nous ne l'avions même pas remarqué !

Mais ce Bédouin et son chameau, qui viennent de se démasquer de derrière le tertre, voilà que lentement, lentement, ils s'éloignent. Peut-être cet homme est-il seul. Un démon cruel nous l'a montré et le retire...

Et nous ne pourrions plus courir !

Un autre Arabe apparaît de profil sur la dune. Nous hurlons, mais tout bas. Alors, nous agitons les bras et nous avons l'impression de remplir le ciel de signaux immenses. Mais ce Bédouin regarde toujours vers la droite...

Et voici que, sans hâte, il a amorcé un quart de tour. A la seconde même où il se présentera de face, tout sera accompli. A la seconde même où il regardera vers nous, il aura déjà effacé en nous la soif, la mort et les mirages. Il a amorcé un quart de tour qui, déjà, change le monde. Par un mouvement de son seul buste, par la promenade de son seul regard, il crée la vie, et il me paraît semblable à un dieu...

C'est un miracle... Il marche vers nous sur le sable, comme un dieu sur la mer...

L'Arabe nous a simplement regardés. Il a pressé, des mains, sur nos épaules, et nous lui avons obéi. Nous nous sommes étendus. Il n'y a plus ici ni races, ni langages, ni divisions... Il y a ce nomade pauvre qui a posé sur nos épaules des mains d'archange.

Nous avons attendu, le front dans le sable. Et maintenant, nous buvons à plat ventre, la tête dans la bassine comme des veaux. Le Bédouin s'en effraie et nous oblige, à chaque instant, à nous interrompre. Mais dès qu'il nous lâche, nous replongeons tout notre visage dans l'eau.

L'eau!

Eau, tu n'as ni goût, ni couleur, ni arôme, on ne peut pas te définir, on te goûte, sans te connaître. Tu n'es pas nécessaire à la vie : tu es la vie. Tu nous pénètres d'un plaisir qui ne s'explique point par les sens. Avec toi rentrent en nous tous les pouvoirs auxquels nous avions renoncé. Par ta grâce, s'ouvrent en nous toutes les sources taries de notre cœur.

Tu es la plus grande richesse qui soit au monde, et tu es aussi la plus délicate, toi si pure au ventre de la terre. On peut mourir sur une source d'eau magnésienne. On peut mourir à deux pas d'un lac d'eau salée. On peut mourir malgré deux litres de rosée qui retiennent en suspens quelques sels. Tu n'acceptes point de mélange, tu ne supportes point d'altération, tu es une ombrageuse divinité...

Mais tu répands en nous un bonheur infiniment simple.

Quant à toi qui nous sauves, Bédouin de

158

Libye, tu t'effaceras cependant à jamais de ma mémoire. Je ne me souviendrai jamais de ton visage. Tu es l'Homme et tu m'apparais avec le visage de tous les hommes à la fois. Tu ne nous a jamais dévisagés et déjà tu nous as reconnus. Tu es le frère bien-aimé. Et, à mon tour, je te reconnaîtrai dans tous les hommes.

Tu m'apparais baigné de noblesse et de bien-veillance, grand seigneur qui as le pouvoir de donner à boire. Tous mes amis, tous mes ennemis en toi marchent vers moi, et je n'ai plus un seul ennemi au monde.

LES HOMMES

1

Une fois de plus, j'ai côtoyé une vérité que je n'ai pas comprise. Je me suis cru perdu, j'ai cru toucher le fond du désespoir et, une fois le renoncement accepté, j'ai connu la paix. Il semble à ces heures-là que l'on se découvre soi-même et que l'on devienne son propre ami. Plus rien ne saurait prévaloir contre un sentiment de plénitude qui satisfait en nous je ne sais quel besoin essentiel que nous ne nous connaissions pas. Bonnafous, j'imagine, qui s'usait à courir le vent, a connu cette sérénité. Guillaumet aussi dans sa neige. Comment oublierais-je moi-même, qu'enfoui dans le sable jusqu'à la nuque, et lentement égorgé par la soif, j'ai eu si chaud au cœur sous ma pèlerine d'étoiles ?

Comment favoriser en nous cette sorte de délivrance ? Tout est paradoxal chez l'homme, on le sait bien. On assure le pain de celui-là pour lui permettre de créer et il s'endort, le conquérant victorieux s'amollit, le généreux, si on l'enrichit, devient ladre. Que nous importent les doctrines politiques qui prétendent épanouir les hommes, si nous ne connaissons d'abord quel type d'homme elles épanouiront. Qui va naître ? Nous ne sommes pas un cheptel à l'engrais, et l'apparition d'un Pascal pauvre pèse plus lourd que la naissance de quelques anonymes prospères.

L'essentiel, nous ne savons pas le prévoir. Chacun de nous a connu les joies les plus chaudes là où rien ne les promettait. Elles nous ont laissé une telle nostalgie que nous regrettons jusqu'à nos misères, si nos misères les ont permises. Nous avons tous goûté, en retrouvant des camarades, l'enchantement des mauvais souvenirs.

Que savons-nous, sinon qu'il est des conditions inconnues qui nous fertilisent ? Où loge la vérité de l'homme ?

La vérité, ce n'est point ce qui se démontre. Si dans ce terrain, et non dans un autre, les orangers développent de solides racines et se chargent de fruits, ce terrain-là c'est la vérité des orangers. Si cette religion, si cette culture, si cette échelle des valeurs, si cette forme d'activité et non telles autres, favorisent dans l'homme cette plénitude, délivrent en lui un grand seigneur qui s'ignorait, c'est que cette échelle des valeurs, cette culture, cette forme d'activité, sont la vérité de l'homme. La logique ? Qu'elle se débrouille pour rendre compte de la vie.

Tout au long de ce livre j'ai cité quelques-uns de ceux qui ont obéi, semble-t-il, à une vocation souveraine, qui ont choisi le désert ou la ligne, comme d'autres eussent choisi le monastère ; mais j'ai trahi mon but si j'ai paru vous engager à admirer d'abord les hommes. Ce qui est

161

admirable d'abord, c'est le terrain qui les a fondés.

Les vocations sans doute jouent un rôle. Les uns s'enferment dans leurs boutiques. D'autres font leur chemin, impérieusement, dans une direction nécessaire : nous retrouvons en germe dans l'histoire de leur enfance les élans qui expliqueront leur destinée. Mais l'Histoire, lue après coup, fait illusion. Ces élans-là nous les retrouverions chez presque tous. Nous avons tous connu des boutiquiers qui, au cours de quelque nuit de naufrage ou d'incendie, se sont révélés plus grands qu'eux-mêmes. Ils ne se méprennent point sur la qualité de leur plénitude : cet incendie restera la nuit de leur vie. Mais faute d'occcasions nouvelles, faute de terrain favorable, faute de religion exigeante, ils se sont rendormis sans avoir cru en leur propre grandeur. Certes les vocations aident l'homme à se délivrer : mais il est également nécessaire de délivrer les vocations.

Nuits aériennes, nuits du désert... ce sont là des occasions rares, qui ne s'offrent pas à tous les hommes. Et cependant, quand les circonstances les animent, ils montrent tous les mêmes besoins. Je ne m'écarte point de mon sujet si je raconte une nuit d'Espagne qui, là-dessus, m'a instruit. J'ai trop parlé de quelques-uns et j'aimerais parler de tous.

C'était sur le front de Madrid que je visitais en reporter. Je dînais ce soir-là au fond d'un abri souterrain, à la table d'un jeune capitaine.

2

Nous causions quand le téléphone a sonné. Un long dialogue s'est engagé : il s'agit d'une attaque locale dont le P. C. communique l'ordre, une attaque absurde et désespérée qui doit enlever, dans cette banlieue ouvrière, quelques maisons changées en forteresses de ciment. Le capitaine hausse les épaules et revient à nous : « Les premiers d'entre nous, dit-il, qui se montreront... », puis il pousse deux verres de cognac, vers un sergent, qui se trouve ici, et vers moi :

— Tu sors le premier, avec moi, dit-il au sergent. Bois et va dormir.

Le sergent est allé dormir. Autour de cette table, nous sommes une dizaine à veiller. Dans cette pièce bien calfatée, dont nulle lumière ne filtre, la clarté est si dure que je cligne des yeux. J'ai glissé un regard, il y a cinq minutes, à travers une meurtrière. Ayant enlevé le chiffon qui masquait l'ouverture, j'ai aperçu, englouties sous un clair de lune qui répandait une lumière d'abîme, des ruines de maisons hantées. Quand j'ai remis en place le chiffon il m'a semblé essuyer le rayon de lune comme une coulée d'huile. Et je conserve maintenant dans les yeux l'image de forteresses glauques.

Ces soldats sans doute ne reviendront pas, mais ils se taisent, par pudeur. Cet assaut est dans l'ordre. On puise dans une provision d'hommes. On puise dans un grenier à grains. On jette une poignée de grains pour les semailles.

Et nous buvons notre cognac. Sur ma droite,

on dispute une partie d'échecs. Sur ma gauche, on plaisante. Où suis-je? Un homme, à demi ivre, fait son entrée. Il caresse une barbe hirsute et roule sur nous des yeux tendres. Son regard glisse sur le cognac, se détourne, revient au cognac, vire, suppliant, sur le capitaine. Le capitaine rit tout bas. L'homme, touché par l'espoir, rit aussi. Un rire léger gagne les spectateurs. Le capitaine recule doucement la bouteille, le regard de l'homme joue le désespoir, et un jeu puéril s'amorce ainsi, une sorte de ballet silencieux qui, à travers l'épaisse fumée des cigarettes, l'usure de la nuit blanche, l'image de l'attaque prochaine, tient du rêve.

Et nous jouons, enfermés bien au chaud dans la cale de notre navire, cependant qu'au-dehors redoublent des explosions semblables à des coups de mer.

Ces hommes se décaperont tout à l'heure de leur sueur, de leur alcool, de l'encrassement de leur attente dans les eaux régales de la nuit de guerre. Je les sens si près d'être purifiés. Mais ils dansent encore aussi loin qu'ils le peuvent danser le ballet de l'ivrogne et de la bouteille. Ils la poursuivent aussi loin qu'on peut la poursuivre, cette partie d'échecs. Ils font durer la vie tant qu'ils peuvent. Mais ils ont réglé un réveille-matin qui trône sur une étagère. Cette sonnerie retentira donc. Alors ces hommes se dresseront, s'étireront et boucleront leur ceinturon. Le capitaine alors décrochera son revolver. L'ivrogne alors dessoulera. Alors tous ils emprunteront, sans trop se hâter, ce corridor qui monte en pente douce jusqu'à un rectangle bleu de lune. Ils diront quelque chose de simple

comme : « Sacrée attaque... » ou : « Il fait froid! »
Puis ils plongeront.

L'heure venue, j'assistai au réveil du sergent.
Il dormait allongé sur un lit de fer, dans les
décombres d'une cave. Et je le regardais dormir.
Il me semblait connaître le goût de ce sommeil
non angoissé, mais tellement heureux. Il me
rappelait cette première journée de Libye, au
cours de laquelle Prévot et moi, échoués sans
eau et condamnés, nous avons pu, avant d'éprou-
ver une soif trop vive, dormir une fois, une seule,
deux heures durant. J'avais eu le sentiment en
m'endormant d'user d'un pouvoir admirable :
celui de refuser le monde présent. Propriétaire
d'un corps qui me laissait encore en paix, rien
ne distingua plus pour moi, une fois que j'eus
enfoui mon visage dans mes bras, ma nuit d'une
nuit heureuse.

Ainsi le sergent reposait-t-il, roulé en boule,
sans forme humaine, et, quand ceux qui vinrent
le réveiller eurent allumé une bougie et l'eurent
fixée sur le goulot d'une bouteille, je ne distin-
guai rien d'abord qui émergeât du tas informe,
sinon des godillots. D'énormes godillots cloutés,
ferrés, des godillots de journalier ou de docker.

Cet homme était chaussé d'instruments de
travail, et tout, sur son corps, n'était qu'instruments : cartouchières, revolvers, bretelles de
cuir, ceinturon. Il portait le bât, le collier, tout
le harnachement du cheval de labour. On voit au
fond des caves, au Maroc, des meules tirées par
des chevaux aveugles. Ici, dans la lueur tremblante et rougeâtre de la bougie, on réveillait
aussi un cheval aveugle afin qu'il tirât sa meule.

— Hep! Sergent!

Il remua lentement, montrant son visage encore endormi et baragouinant je ne sais quoi. Mais il revint au mur ne voulant point se réveiller, se renfonçant dans les profondeurs du sommeil comme dans la paix d'un ventre maternel, comme sous des eaux profondes, se retenant des poings qu'il ouvrait et fermait, à je ne sais quelles algues noires. Il fallut bien lui dénouer les doigts. Nous nous assîmes sur son lit, l'un de nous passa doucement son bras derrière son cou, et souleva cette lourde tête en souriant. Et ce fut comme, dans la bonne chaleur de l'étable, la douceur de chevaux qui se caressent l'encolure. « Eh! compagnon! » Je n'ai rien vu dans ma vie de plus tendre. Le sergent fit un dernier effort pour rentrer dans ses songes heureux, pour refuser notre univers de dynamite, d'épuisement et de nuit glacée; mais trop tard. Quelque chose s'imposait qui venait du dehors. Ainsi la cloche du collège, le dimanche, réveille lentement l'enfant puni. Il avait oublié le pupitre, le tableau noir et le pensum. Il rêvait aux jeux dans la campagne; en vain. La cloche sonne toujours et le ramène, inexorable, dans l'injustice des hommes. Semblable à lui, le sergent reprenait peu à peu à son compte ce corps usé par la fatigue, ce corps dont il ne voulait pas, et qui, dans le froid du réveil, connaîtrait avant peu ces tristes douleurs aux jointures, puis le poids du harnachement, puis cette course pesante, et la mort. Non tant la mort que la glu de ce sang où l'on trempe ses mains pour se relever, cette respiration difficile, cette glace autour; non tant la mort que l'inconfort de mourir. Et je songeais toujours, le regardant, à la désolation de mon propre réveil, à cette reprise en charge de la soif, du soleil, du sable, à cette reprise en charge de la vie, ce rêve que l'on ne choisit pas.

Mais le voilà debout, qui nous regarde droit dans les yeux :

— C'est l'heure ?

C'est ici que l'homme apparaît. C'est ici qu'il échappe aux prévisions de la logique : le sergent souriait! Quelle est donc cette tentation? Je me souviens d'une nuit de Paris où Mermoz et moi ayant fêté, avec quelques amis, je ne sais quel anniversaire, nous nous sommes retrouvés au petit jour au seuil d'un bar, écœurés d'avoir tant parlé, d'avoir tant bu, d'être inutilement si las. Mais comme le ciel déjà se faisait pâle, Mermoz brusquement me serra le bras, et si fort que je sentis ses ongles. « Tu vois, c'est l'heure où à Dakar... » C'était l'heure où les mécanos se frottent les yeux, et retirent les housses d'hélices, où le pilote va consulter la météo, où la terre n'est plus peuplée que de camarades. Déjà le ciel se colorait, déjà l'on préparait la fête mais pour d'autres, déjà l'on tendait la nappe d'un festin dont nous ne serions point les convives. D'autres courraient leur risque...

— Ici quelle saleté..., acheva Mermoz.

Et toi, sergent, à quel banquet étais-tu convié qui valût de mourir ?

J'avais reçu déjà tes confidences. Tu m'avais raconté ton histoire : petit comptable quelque part à Barcelone, tu y alignais autrefois des chiffres sans te préoccuper beaucoup des divisions de ton pays. Mais un camarade s'engagea, puis un second, puis un troisième, et tu subis avec surprise une étrange transformation : tes occupations, peu à peu, t'apparurent futiles. Tes plaisirs, tes soucis, ton petit confort, tout cela était d'un autre âge. Là ne résidait point l'important. Vint enfin la nouvelle de la mort de l'un d'entre vous, tué du côté de Malaga. Il ne s'agissait point d'un ami que tu eusses pu désirer venger. Quant à la politique elle ne t'avait jamais troublé. Et cependant cette nouvelle passa sur vous, sur vos étroites destinées, comme un coup de vent de mer. Un camarade t'a regardé ce matin-là :

— On y va ?

— On y va.

Et vous y êtes « allés ».

Il m'est venu quelques images pour m'expliquer cette vérité que tu n'as pas su traduire en mots mais dont l'évidence t'a gouverné.

Quand passent les canards sauvages à l'époque des migrations, ils provoquent de curieuses marées sur les territoires qu'ils dominent. Les canards domestiques, comme attirés par le grand vol triangulaire, amorcent un bond inhabile. L'appel sauvage a réveillé en eux je ne sais quel vestige sauvage. Et voilà les canards de la ferme changés pour une minute en oiseaux migrateurs. Voilà que dans cette petite tête dure où circulaient d'humbles images de mare, de vers, de poulailler, se développent les étendues continentales, le goût des vents du large, et la géographie des mers. L'animal ignorait que sa cervelle fût assez vaste pour contenir tant de merveilles, mais le voilà qui bat des ailes, méprise le grain, méprise les vers et veut devenir canard sauvage.

Mais je revoyais surtout mes gazelles : j'ai élevé des gazelles à Juby. Nous avons tous, là-bas, élevé des gazelles. Nous les enfermions dans une maison de treillage, en plein air, car il faut aux gazelles l'eau courante des vents, et rien, autant qu'elles, n'est fragile. Capturées jeunes, elles vivent cependant et broutent dans votre main. Elles se laissent caresser, et plongent leur museau humide dans le creux de la paume. Et on les croit apprivoisées. On croit les avoir abritées du chagrin inconnu qui éteint sans bruit les gazelles et leur fait la mort la plus tendre... Mais vient le jour où vous les retrouvez, pesant de leurs petites cornes, contre l'enclos, dans la direction du désert. Elles sont aimantées. Elles ne savent pas qu'elles vous fuient. Le lait que vous leur apportez, elles viennent le boire. Elles se laissent encore caresser, elles enfoncent plus tendrement encore leur museau dans votre paume... Mais à peine les lâchez-vous, vous découvrez qu'après un semblant de galop heureux, elles sont ramenées contre le treillage. Et si vous n'intervenez plus, elles demeurent là, n'essayant même pas de lutter contre la barrière, mais pesant simplement contre elle, la nuque basse, de leurs petites cornes, jusqu'à mourir. Est-ce la saison des amours, ou le simple besoin d'un grand galop à perdre haleine? Elles l'ignorent. Leurs yeux ne s'étaient pas ouverts encore, quand on vous les a capturées. Elles ignorent tout de la liberté dans les sables, comme de l'odeur du mâle.

Mais vous êtes bien plus intelligents qu'elles. Ce qu'elles cherchent vous le savez, c'est l'étendue qui les accomplira. Elles veulent devenir gazelles et danser leur danse. A cent trente kilomètres à l'heure, elles veulent connaître la fuite rectiligne, coupée de brusques jaillissements, comme si, çà et là, des flammes s'échappaient du sable. Peu importent les chacals, si la vérité des gazelles est de goûter la peur, qui les contraint seule à se surpasser et tire d'elles les plus hautes voltiges! Qu'importe le lion si la vérité des gazelles est d'être ouvertes d'un coup de griffe dans le soleil! Vous les regardez et vous songez : les voilà prises de nostalgie. La nostalgie, c'est le désir d'on ne sait quoi... Il existe, l'objet du désir, mais il n'est point de mots pour le dire.

Et à nous, que nous manque-t-il?

Que trouverais-tu ici, sergent, qui t'apportât le sentiment de ne plus trahir ta destinée? Peut-être ce bras fraternel qui souleva ta tête endormie, peut-être ce sourire tendre qui ne plaignait pas, mais partageait? « Eh! camarade... » Plaindre, c'est encore être deux. C'est encore être divisé. Mais il existe une altitude des relations où la reconnaissance comme la pitié perdent leur sens. C'est là que l'on respire comme un prisonnier délivré.

Nous avons connu cette union quand nous franchissions, par équipe de deux avions, un Rio de Oro insoumis encore. Je n'ai jamais entendu le naufragé remercier son sauveteur. Le plus souvent, même, nous nous insultions, pendant l'épuisant transbordement d'un avion à l'autre, des sacs de poste : « Salaud! si j'ai eu la panne, c'est ta faute, avec ta rage de voler à deux mille, en plein dans les courants contraires! Si tu m'avais suivi plus bas, nous serions déjà à Port-Étienne! » et l'autre qui offrait sa vie se découvrait honteux d'être un salaud. De quoi d'ailleurs l'eussions-nous remercié? Il avait droit lui aussi à notre vie. Nous étions les branches d'un même arbre. Et j'étais orgueilleux de toi, qui me sauvais!

Pourquoi t'aurait-il plaint, sergent, celui qui te préparait pour la mort? Vous preniez ce risque les uns pour les autres. On découvre à cette minute-là cette unité qui n'a plus besoin de langage. J'ai compris ton départ. Si tu étais pauvre à Barcelone, seul peut-être après le travail, si ton corps même n'avait point de refuge, tu éprouvais ici le sentiment de t'accomplir, tu rejoignais l'universel; voici que toi, le paria, tu étais reçu par l'amour.

Je me moque bien de connaître s'ils étaient sincères ou non, logiques ou non, les grands mots des politiciens qui t'ont peut-être ensemencé. S'ils ont pris sur toi, comme peuvent germer des semences, c'est qu'ils répondaient à tes besoins. Tu es seul juge. Ce sont les terres qui savent reconnaître le blé.

3

Liés à nos frères par un but commun et qui se situe en dehors de nous, alors seulement nous respirons et l'expérience nous montre qu'aimer ce n'est point nous regarder l'un l'autre mais regarder ensemble dans la même direction. Il n'est de camarades que s'ils s'unissent dans la même cordée, vers le même sommet en quoi ils se retrouvent. Sinon pourquoi, au siècle même du confort, éprouverions-nous une joie si pleine à partager nos derniers vivres dans le désert? Que valent là contre les prévisions des sociologues? A tous ceux d'entre nous qui ont connu la grande joie des dépannages sahariens, tout autre plaisir a paru futile.

C'est peut-être pourquoi le monde d'aujourd'hui commence à craquer autour de nous. Chacun s'exalte pour des religions qui lui promettent cette plénitude. Tous, sous les mots contradictoires, nous exprimons les mêmes élans. Nous nous divisons sur des méthodes qui sont les fruits de nos raisonnements, non sur les buts : ils sont les mêmes.

Dès lors, ne nous étonnons pas. Celui qui ne soupçonnait pas l'inconnu endormi en lui, mais l'a senti se réveiller une seule fois dans une cave d'anarchistes à Barcelone, à cause du sacrifice, de l'entraide, d'une image rigide de la justice, celui-là ne connaîtra plus qu'une vérité : la vérité des anarchistes. Et celui qui aura une fois monté la garde pour protéger un peuple de petites nonnes agenouillées, épouvantées, dans les monastères d'Espagne, celui-là mourra pour l'Église.

Si vous aviez objecté à Mermoz, quand il plongeait vers le versant chilien des Andes, avec sa victoire dans le cœur, qu'il se trompait, qu'une lettre de marchand, peut-être, ne valait pas le risque de sa vie, Mermoz eût ri de vous. La vérité, c'est l'homme qui naissait en lui quand il passait les Andes.

Si vous voulez convaincre de l'horreur de la guerre celui qui ne refuse pas la guerre, ne le traitez point de barbare : cherchez à le comprendre avant de le juger.

Considérez cet officier du Sud qui commandait, lors de la guerre du Rif, un poste avancé, planté en coin entre deux montagnes dissidentes. Il recevait, un soir, des parlementaires descendus du massif de l'ouest. Et l'on buvait le thé, comme il se doit, quand la fusillade éclata. Les tribus du massif de l'est attaquaient le poste. Au capitaine qui les expulsait pour combattre, les parlementaires ennemis répondirent : « Nous sommes tes hôtes aujourd'hui. Dieu ne permet pas qu'on t'abandonne... » Ils se joignirent donc à ses hommes, sauvèrent le poste, puis regrimpèrent dans leur nid d'aigle.

Mais la veille du jour où, à leur tour, ils se préparent à l'assaillir, ils envoient des ambassadeurs au capitaine :

— L'autre soir, nous t'avons aidé...

— C'est vrai...

— Nous avons brûlé pour toi trois cents cartouches...

— C'est vrai.

— Il serait juste de nous les rendre.

Et le capitaine, grand seigneur, ne peut exploiter un avantage qu'il tirerait de leur noblesse. Il leur rend les cartouches dont on usera contre lui.

La vérité pour l'homme, c'est ce qui fait de lui un homme. Quand celui-là qui a connu cette dignité des rapports, cette loyauté dans le jeu, ce don mutuel d'une estime qui engage la vie, compare cette élévation, qui lui fut permise, à la médiocre bonhomie du démagogue qui eût exprimé sa fraternité aux mêmes Arabes par de grandes claques sur les épaules, les eût flattés mais en même temps humiliés, celui-là n'éprouvera à votre égard, si vous raisonnez contre lui, qu'une pitié un peu méprisante. Et c'est lui qui aura raison.

Mais vous aurez également raison de haïr la guerre.

Pour comprendre l'homme et ses besoins, pour le connaître dans ce qu'il a d'essentiel, il ne faut pas opposer l'une à l'autre l'évidence de vos vérités. Oui, vous avez raison. Vous avez tous raison. La logique démontre tout. Il a raison celui-là même qui rejette les malheurs du monde sur les bossus. Si nous déclarons la guerre aux bossus, nous apprendrons vite à nous exalter. Nous vengerons les crimes des bossus. Et certes les bossus commettent aussi des crimes.

Il faut, pour essayer de dégager cet essentiel, oublier un instant les divisions, qui, une fois admises, entraînent tout un Coran de vérités inébranlables et le fanatisme qui en découle. On peut ranger les hommes en hommes de droite et en hommes de gauche, en bossus et en non bossus, en fascistes et en démocrates, et ces distinctions sont inattaquables. Mais la vérité, vous le savez, c'est ce qui simplifie le monde et non ce qui crée le chaos. La vérité, c'est le langage qui dégage l'universel. Newton n'a point « découvert » une loi longtemps dissimulée à la façon d'une solution de rébus, Newton a effectué une opération créatrice. Il a fondé un langage d'homme qui pût exprimer à la fois la chute de la pomme dans un pré ou l'ascension du soleil. La vérité, ce n'est point ce qui se démontre, c'est ce qui simplifie.

A quoi bon discuter les idéologies ? Si toutes se démontrent, toutes aussi s'opposent, et de telles discussions font désespérer du salut de l'homme. Alors que l'homme, partout, autour de nous, expose les mêmes besoins.

Nous voulons être délivrés. Celui qui donne un coup de pioche veut connaître un sens à son coup de pioche. Et le coup de pioche du bagnard, qui humilie le bagnard, n'est point le même que le coup de pioche du prospecteur, qui grandit le prospecteur. Le bagne ne réside point là où les coups de pioche sont donnés. Il n'est pas d'horreur matérielle. Le bagne réside là où des coups de pioche sont donnés qui n'ont point de sens, qui ne relient pas celui qui les donne à la communauté des hommes.

Et nous voulons nous évader du bagne.

Il est deux cents millions d'hommes, en Europe, qui n'ont point de sens et voudraient naître. L'industrie les a arrachés au langage des lignées paysannes et les a enfermés dans ces ghettos énormes qui ressemblent à des gares de triage encombrées de rames de wagons noirs. Du fond des cités ouvrières, ils voudraient être réveillés.

Il en est d'autres, pris dans l'engrenage de tous les métiers, auxquels sont interdites les joies du pionnier, les joies religieuses, les joies du savant. On a cru que pour les grandir il suffisait de les vêtir, de les nourrir, de répondre à tous leurs besoins. Et l'on a peu à peu fondé en eux le petit bourgeois de Courteline, le politicien de village, le technicien fermé à la vie intérieure. Si on les instruit bien, on ne les cultive plus. Il se forme une piètre opinion sur la culture celui qui croit qu'elle repose sur la mémoire de formules. Un mauvais élève du cours de Spéciales en sait plus long sur la nature et sur les lois que Descartes et Pascal. Est-il capable des mêmes démarches de l'esprit?

Tous, plus ou moins confusément, éprouvent le besoin de naître. Mais il est des solutions qui trompent. Certes on peut animer les hommes, en les habillant d'uniformes. Alors ils chanteront leurs cantiques de guerre et rompront leur pain entre camarades. Ils auront retrouvé ce qu'ils cherchent, le goût de l'universel. Mais du pain qui leur est offert, ils vont mourir.

On peut déterrer les idoles de bois et ressusciter les vieux mythes qui ont, tant bien que mal, fait leur preuve, on peut ressusciter les mystiques de Pangermanisme, ou d'Empire romain. On peut enivrer les Allemands de l'ivresse d'être Allemands et compatriotes de Beethoven. On peut en saouler jusqu'au soutier. C'est, certes, plus facile que de tirer du soutier un Beethoven.

Mais de telles idoles sont des idoles carnivores. Celui qui meurt pour le progrès des connaissances ou la guérison des maladies, celui-là sert la vie, en même temps qu'il meurt. Il est peut-être beau de mourir pour l'expansion d'un territoire, mais la guerre d'aujourd'hui détruit ce qu'elle prétend favoriser. Il ne s'agit plus aujourd'hui de sacrifier un peu de sang pour vivifier toute la race. Une guerre, depuis qu'elle se traite avec l'avion et l'ypérite, n'est plus qu'une chirurgie sanglante. Chacun s'installe à l'abri d'un mur de ciment, chacun, faute de mieux, lance, nuit après nuit, des escadrilles qui torpillent l'autre dans ses entrailles, font sauter ses centres vitaux, paralysent sa production et ses échanges. La victoire est à qui pourrira le dernier. Et les deux adversaires pourrissent ensemble.

Dans un monde devenu désert, nous avions soif de retrouver des camarades : le goût du pain rompu entre camarades nous a fait accepter les valeurs de guerre. Mais nous n'avons pas besoin de la guerre pour trouver la chaleur des épaules voisines dans une course vers le même but. La guerre nous trompe. La haine n'ajoute rien à l'exaltation de la course.

Pourquoi nous haïr ? Nous sommes solidaires, emportés par la même planète, équipage d'un même navire. Et s'il est bon que des civilisations s'opposent pour favoriser des synthèses nouvelles, il est monstrueux qu'elles s'entre-dévorent.

Puisqu'il suffit, pour nous délivrer, de nous aider à prendre conscience d'un but qui nous relie les uns aux autres, autant le chercher là où il nous unit tous. Le chirurgien qui passe la visite n'écoute pas les plaintes de celui qu'il ausculte : à travers celui-là, c'est l'homme qu'il cherche à guérir. Le chirurgien parle un langage universel. De même le physicien quand il médite ces équations presque divines par lesquelles il saisit à la fois et l'atome et la nébuleuse. Et ainsi jusqu'au simple berger. Car celui-là qui veille modestement quelques moutons sous les étoiles, s'il prend conscience de son rôle, se découvre plus qu'un serviteur. Il est une sentinelle. Et chaque sentinelle est responsable de tout l'Empire.

Croyez-vous que ce berger-là ne souhaite pas de prendre conscience? J'ai visité sur le front de Madrid une école installée à cinq cents mètres des tranchées, derrière un petit mur de pierres, sur une colline. Un caporal y enseignait la botanique. Démontant de ses mains les fragiles organes d'un coquelicot, il attirait à lui des pèlerins barbus qui se dégageaient de leur boue tout autour, et montaient vers lui, malgré les obus, en pèlerinage. Une fois rangés autour du caporal, ils l'écoutaient, assis en tailleur, le menton au poing. Ils fronçaient les sourcils, serraient les dents, ils ne comprenaient pas grand-chose à la leçon, mais on leur avait dit : « Vous êtes des brutes, vous sortez à peine de vos tanières, il faut rattraper l'humanité! » et ils se hâtaient de leurs pas lourds pour la rejoindre.

Quand nous prendrons conscience de notre rôle, même le plus effacé, alors seulement nous serons heureux. Alors seulement nous pourrons vivre en paix et mourir en paix, car ce qui donne un sens à la vie donne un sens à la mort.

Elle est si douce quand elle est dans l'ordre des choses, quand le vieux paysan de Provence, au terme de son règne, remet en dépôt à ses fils son lot de chèvres et d'oliviers, afin qu'ils le transmettent, à leur tour, aux fils de leurs fils. On ne meurt qu'à demi dans une lignée paysanne. Chaque existence craque à son tour comme une cosse et livre ses graines.

J'ai coudoyé, une fois, trois paysans, face au lit de mort de leur mère. Et certes, c'était douloureux. Pour la seconde fois, était tranché le cordon ombilical. Pour la seconde fois, un nœud se défaisait : celui qui lie une génération à l'autre. Ces trois fils se découvraient seuls, ayant tout à apprendre, privés d'une table familiale où se réunir aux jours de fête, privés du pôle en qui ils se retrouvaient tous. Mais je découvrais aussi, dans cette rupture, que la vie peut être donnée pour la seconde fois. Ces fils, eux aussi, à leur tour, se feraient têtes de file, points de rassemblement et patriarches, jusqu'à l'heure où ils passeraient, à leur tour, le commandement à cette portée de petits qui jouaient dans la cour.

Je regardais la mère, cette vieille paysanne au visage paisible et dur, aux lèvres serrées, ce visage changé en masque de pierre. Et j'y reconnaissais le visage des fils. Ce masque avait servi à imprimer le leur. Ce corps avait servi à imprimer ces corps, ces beaux exemplaires d'hommes. Et maintenant, elle reposait brisée, mais comme une gangue dont on a retiré le fruit. A leur tour, fils et filles, de leur chair, imprimeraient des petits d'hommes. On ne mourait pas dans la ferme. La mère est morte, vive la mère.

Douloureuse, oui, mais tellement simple

cette image de la lignée, abandonnant une à une, sur son chemin, ses belles dépouilles à cheveux blancs, marchant vers je ne sais quelle vérité, à travers ses métamorphoses.

C'est pourquoi, ce même soir, la cloche des morts du petit village de campagne me parut chargée, non de désespoir, mais d'une allégresse discrète et tendre. Elle qui célébrait de la même voix les enterrements et les baptêmes, annonçait une fois encore le passage d'une génération à l'autre. Et l'on n'éprouvait qu'une grande paix à entendre chanter ces fiançailles d'une pauvre vieille et de la terre.

Ce qui se transmettait ainsi de génération en génération, avec le lent progrès d'une croissance d'arbre, c'était la vie mais c'était aussi la conscience. Quelle mystérieuse ascension! D'une lave en fusion, d'une pâte d'étoile, d'une cellule vivante germée par miracle nous sommes issus, et, peu à peu, nous nouss ommes élevés jusqu'à écrire des cantates et à peser des voies lactées.

La mère n'avait point seulement transmis la vie : elle avait, à ses fils, enseigné un langage, elle leur avait confié le bagage si lentement accumulé au cours des siècles, le patrimoine spirituel qu'elle avait elle-même reçu en dépôt, ce petit lot de traditions, de concepts et de mythes qui constitue toute la différence qui sépare Newton ou Shakespeare de la brute des cavernes.

Ce que nous sentons quand nous avons faim, de cette faim qui poussait les soldats d'Espagne sous le tir vers la leçon de botanique, qui poussa

Mermoz vers l'Atlantique Sud, qui pousse l'autre vers son poème, c'est que la genèse n'est point achevée et qu'il nous faut prendre conscience de nous-mêmes et de l'univers. Il nous faut, dans la nuit, lancer des passerelles. Seuls l'ignorent ceux qui font leur sagesse d'une indifférence qu'ils croient égoïste ; mais tout dément cette sagesse-là ! Camarades, mes camarades, je vous prends à témoin : quand nous sommes-nous sentis heureux ?

4

Et voici que je me souviens, dans la dernière page de ce livre, de ces bureaucrates vieillis qui nous servirent de cortège, à l'aube du premier courrier, quand nous nous préparions à muer en hommes, ayant eu la chance d'être désignés. Ils étaient pourtant semblables à nous, mais ne connaissaient point qu'ils avaient faim.

Il en est trop qu'on laisse dormir.

Il y a quelques années, au cours d'un long voyage en chemin de fer, j'ai voulu visiter la patrie en marche où je m'enfermais pour trois jours, prisonnier pour trois jours de ce bruit de galets roulés par la mer, et je me suis levé. J'ai traversé vers une heure du matin le train dans toute sa longueur. Les sleepings étaient vides. Les voitures de première étaient vides.

Mais les voitures de troisième abritaient des centaines d'ouvriers polonais congédiés de France et qui regagnaient leur Pologne. Et je remontais les couloirs en enjambant des corps. Je m'arrêtai pour regarder. Debout sous les veilleuses, j'apercevais dans ce wagon sans divisions et qui ressemblait à une chambrée, qui sentait la caserne ou le commissariat, toute une population confuse et barattée par les mouvements du rapide. Tout un peuple enfoncé dans les mauvais songes et qui regagnait sa misère. De grosses têtes rasées roulaient sur le bois des banquettes. Hommes, femmes, enfants, tous se retournaient de droite à gauche, comme attaqués par tous ces bruits, toutes ces secousses qui les menaçaient dans leur oubli. Ils n'avaient point trouvé l'hospitalité d'un bon sommeil.

Et voici qu'ils me semblaient avoir à demi perdu qualité humaine, ballottés d'un bout de l'Europe à l'autre par les courants économiques, arrachés à la petite maison du Nord, au minuscule jardin, aux trois pots de géranium que j'avais remarqués autrefois à la fenêtre des mineurs polonais. Ils n'avaient rassemblé que les ustensiles de cuisine, les couvertures et les rideaux, dans des paquets mal ficelés et crevés de hernies. Mais tout ce qu'ils avaient caressé ou charmé, tout ce qu'ils avaient réussi à apprivoiser en quatre ou cinq années de séjour en France, le chat, le chien et le géranium, ils avaient dû les sacrifier et ils n'emportaient avec eux que ces batteries de cuisine.

Un enfant tétait une mère si lasse qu'elle paraissait endormie. La vie se transmettait dans l'absurde et le désordre de ce voyage. Je regardai le père. Un crâne pesant et nu comme une pierre. Un corps plié dans l'inconfortable sommeil, emprisonné dans les vêtements de travail, fait de bosses et de creux. L'homme était pareil à un tas de glaise. Ainsi, la nuit, des épaves qui n'ont plus de forme, pèsent sur les bancs des halles. Et je pensai : le problème ne réside point dans cette misère, dans cette saleté, ni dans cette laideur. Mais ce même homme et cette même femme se sont connus un jour et l'homme a souri sans doute à la femme : il lui a, sans doute, après le travail, apporté des fleurs. Timide et gauche, il tremblait peut-être de se voir dédaigné. Mais la femme, par coquetterie naturelle, la femme sûre de sa grâce, se plaisait peut-être à l'inquiéter. Et l'autre, qui n'est plus aujourd'hui qu'une machine à piocher ou à cogner, éprouvait ainsi dans son cœur l'angoisse délicieuse. Le mystère, c'est qu'ils soient devenus ces paquets de glaise. Dans quel moule terrible ont-ils passé, marqués par lui comme par une machine à emboutir ? Un animal vieilli conserve sa grâce. Pourquoi cette belle argile humaine est-elle abîmée ?

Et je poursuivis mon voyage parmi ce peuple dont le sommeil était trouble comme un mauvais lieu. Il flottait un bruit vague fait de ronflements rauques, de plaintes obscures, du raclement des godillots de ceux qui, brisés d'un côté, essayaient l'autre. Et toujours en sourdine cet intarissable accompagnement de galets retournés par la mer.

Je m'assis en face d'un couple. Entre l'homme et la femme, l'enfant, tant bien que mal, avait fait son creux, et il dormait. Mais il se retourna dans le sommeil, et son visage m'apparut sous la veilleuse. Ah! quel adorable visage! Il était né de ce couple-là une sorte de fruit doré. Il était né de ces lourdes hardes cette réussite de charme et de grâce. Je me penchai sur ce front lisse, sur cette douce moue des lèvres, et je me dis : voici un visage de musicien, voici Mozart enfant, voici une belle promesse de la vie. Les petits princes des légendes n'étaient point différents de lui : protégé, entouré, cultivé, que ne saurait-il devenir! Quand il naît par mutation dans les jardins une rose nouvelle, voilà tous les jardiniers qui s'émeuvent. On isole la rose, on cultive la rose, on la favorise. Mais il n'est point de jardinier pour les hommes. Mozart enfant sera marqué comme les autres par la machine à emboutir. Mozart fera ses plus hautes joies de musique pourrie, dans la puanteur des cafés-concerts. Mozart est condamné.

Et je regagnai mon wagon. Je me disais : ces gens ne souffrent guère de leur sort. Et ce n'est point la charité ici qui me tourmente Il ne s'agit point de s'attendrir sur une plaie éternellement rouverte. Ceux qui la portent ne la sentent pas. C'est quelque chose comme l'espèce humaine et non l'individu qui est blessé ici, qui est lésé. Je ne crois guère à la pitié. Ce qui me tourmente, c'est le point de vue du jardinier. Ce qui me tourmente, ce n'est point cette misère, dans laquelle, après tout, on s'installe aussi bien que dans la paresse. Des générations d'Orientaux vivent dans la crasse et s'y plaisent. Ce qui me tourmente, les soupes populaires ne le guérissent point. Ce qui me tourmente, ce ne sont ni ces creux, ni ces bosses, ni cette laideur. C'est un peu, dans chacun de ces hommes, Mozart assassiné.

Seul l'Esprit, s'il souffle sur la glaise, peut créer l'Homme.

ŒUVRES DE SAINT-EXUPÉRY

nrf

COURRIER SUD.

VOL DE NUIT (Préface d'André Gide).

TERRE DES HOMMES.

PILOTE DE GUERRE.

LETTRE A UN OTAGE.

LE PETIT PRINCE (*illustré par l'auteur*).

CITADELLE.

LETTRES DE JEUNESSE (1923-1932) (Préface de Renée Saussine).

CARNETS (1936-1944) (Introduction de Michel Quesnel et Pierre Chevrier).

LETTRES A SA MÈRE (1910-1944). (Prologue de Mme J.-M. de Saint-Exupéry).

UN SENS A LA VIE (Textes inédits recueillis et présentés par Claude Reynal).

PAGES CHOISIES (Introduction de Michel Quesnel).

*
* *

ŒUVRES (Courrier Sud, Vol de nuit, Terre des hommes, Pilote de guerre, Lettre à un otage, Le Petit Prince, Citadelle. *Préface de Roger Caillois*. 1 vol., Bibliothèque de la Pléiade).

*Cet ouvrage
a été achevé d'imprimer
sur les presses de l'Imprimerie Bussière
à Saint-Amand (Cher), le 28 juillet 1972.
Dépôt légal : 3e trimestre 1972.
No d'édition : 17079.
Imprimé en France.
(1270)*